Couverture : station d'observation du climat de Mount Washington (États-Unis) ; sécheresse en Namibie.
Page 1 : fumées de cheminées d'usine aux États-Unis.
Page 3 : la calotte glaciaire arctique il y a 18 000 ans, au moment du dernier maximum glaciaire.
Pages 4-5 : le cyclone tropical Linda.

PETITE ENCYCLOPÉDIE
LARROUSSE

Direction éditoriale
Mathilde Majorel

Relecture
Laure Talamon

Conception graphique et couverture
Jean-Yves Grall

Mise en page
Jean-Yves Grall

Illustrations
Recherche iconographique
Frédéric Mazuy
Archives Larousse
Marie Vorobieff

Relecture et correction
Madeleine Biaujeaud

Fabrication
Martine Toudert

Index
Marc Dannenhoffer

Photogravure
Nord Compo

Remerciements à
Robert Kandel, Marie-Lise Cuq et Michel Durand

ISBN : 978-2-03-582627-5
Dépôt légal : avril 2008

Yves Sciama

le changement climatique

une nouvelle ère sur la Terre

Sommaire

Avant-propos

La brutale irruption sur la scène mondiale du changement climatique est désormais achevée. En 1995 encore, il ne s'agissait que d'une hypothèse scientifique, dont adversaires et partisans s'affrontaient dans les revues scientifiques. Mais, en février 2007, lors de la publication de son quatrième rapport, le GIEC (Groupement intergouvernemental d'étude du climat) qualifie le réchauffement climatique d'origine humaine de « sans équivoque ». Et cette conclusion est désormais acceptée par la planète entière, comme en témoigne le retentissement médiatique de ce rapport, et surtout la conférence climatique de Bali qui a suivi. À cette réunion internationale, malgré les oppositions d'intérêts, aucun pays n'a contesté les conclusions du GIEC ni la nécessité de réduire les émissions.

Le débat est donc tranché, même si l'immense complexité du phénomène laisse amplement matière à recherche et à toutes sortes de nouvelles découvertes surprenantes. C'est à présent la phase politique qui est ouverte : il faut, en fonction de ces découvertes, modifier nos modes de vie, de production et de consommation. Car un climat en évolution rapide nécessite de coûteux et complexes efforts d'adaptation, chèrement payés par la collectivité (et probablement hors de portée d'une bonne partie des États de la planète). Sans cela, le climat profondément déstabilisé serait gros d'emballements imprévisibles et catastrophiques.

Les populations semblent conscientes du problème, toutes les enquêtes en attestent. La classe politique mondiale a enfin accepté cette nouvelle donne scientifique – mais pour l'instant, sous la pression d'intérêts privés, cette acceptation est restée verbale. Les mesures prises ont été timides, voire symboliques : les émissions mondiales de gaz à effet de serre continuent toujours à augmenter rapidement. Or le temps presse : chaque année, ce sont des milliards de tonnes supplémentaires de carbone que nous déversons dans l'atmosphère. Pour optimiser nos chances d'une sortie relativement douce de la nasse climatique, c'est au plus tôt qu'il faut enrayer, puis réorienter la machine. Une course contre la montre qui, sans la pression des citoyens, risque fort d'être perdue.

En intensifiant les pluies, le changement climatique devrait multiplier les épisodes d'inondations, sans doute les événements météorologiques les plus destructeurs.

L'effet de serre est depuis quelques années sous les feux de la rampe. Ce phénomène climatique s'est imposé en peu de temps comme l'un des problèmes cruciaux du XXIe siècle.
Connu depuis plus d'un siècle, l'effet de serre n'est pas un nouveau venu sur la scène scientifique et il n'a rien de mystérieux.
On connaît à présent non seulement ses mécanismes physiques, mais même une partie de son évolution au cours de l'histoire de notre planète.
Et c'est heureux. Car, sans cette compréhension, toute action préventive serait impossible.

Sur ce cliché pris depuis la navette Columbia, on voit que l'atmosphère est constituée de nombreuses couches aux propriétés optiques distinctes. C'est dans la partie basse que se concentrent les gaz à effet de serre.

L'effet de serre

Un apport de notre atmosphère

L'effet de serre qui agit sur notre planète est dû aux propriétés physiques de certains gaz atmosphériques. Ce phénomène naturel est globalement bénéfique pour le vivant.

Prix Nobel de chimie en 1903 pour ses travaux sur les solutions aqueuses, Svante Arrhenius est un des principaux découvreurs de l'effet de serre, dont il avait évalué l'ampleur dès le début du XXe siècle.

Une transparence sélective

Un moyen simple et à la portée de tous d'expérimenter la puissance de l'effet de serre consiste à entrer dans une voiture qui est restée longtemps au soleil.
La température élevée (voire insupportable) qui y règne s'explique par une propriété particulière des vitres du véhicule : il s'agit de la transparence sélective, qui, laissant circuler les rayons de lumière visible, retient une partie des rayons infrarouges, augmentant ainsi la température à l'intérieur du véhicule.
Plusieurs gaz de l'atmosphère ont la même propriété, et ce comportement optique a d'importantes conséquences pour notre planète…

Le rayonnement que la Terre reçoit du Soleil est constitué à 40 % de lumière visible, à 10 % de rayons ultraviolets et 50 % de rayons infrarouges. Une bonne partie (la moitié) du rayonnement solaire est absorbée dans l'atmosphère. Le rayonnement restant arrive au sol : il est alors majoritairement transformé en rayons infrarouges, un type de rayonnement que les gaz dits « à effet de serre » de notre atmosphère absorbent, ce qui provoque leur échauffement. En réalité, les échanges d'énergie entre la Terre, son atmosphère, son étoile et l'espace environnant sont un peu plus complexes que le bilan simplifié que nous venons d'énoncer. C'est que, en fonction de leur nature et de celle des obstacles qu'ils rencontrent, les rayonnements ont des devenirs variés. Ils peuvent être réfléchis, absorbés (totalement ou partielle-

Identifié depuis longtemps

Le concept selon lequel l'enveloppe atmosphérique de la Terre se comporterait comme les vitres d'une serre est émis en 1824 par le physicien français Joseph Fourier.
Mais c'est le chimiste irlandais John Tyndall qui s'efforce le premier de quantifier le phénomène, vers le milieu du XIXe siècle, en mesurant le pouvoir absorbant de différents gaz vis-à-vis du rayonnement infrarouge.
Il identifie la vapeur d'eau comme un gaz à effet de serre puissant. Mais c'est au chimiste suédois Svante Arrhenius que l'on doit la théorie actuellement acceptée : il avait calculé en 1896 que le doublement de la concentration atmosphérique en dioxyde de carbone induirait un réchauffement global de 5 à 6 °C. Un chiffre assez proche des estimations actuelles.

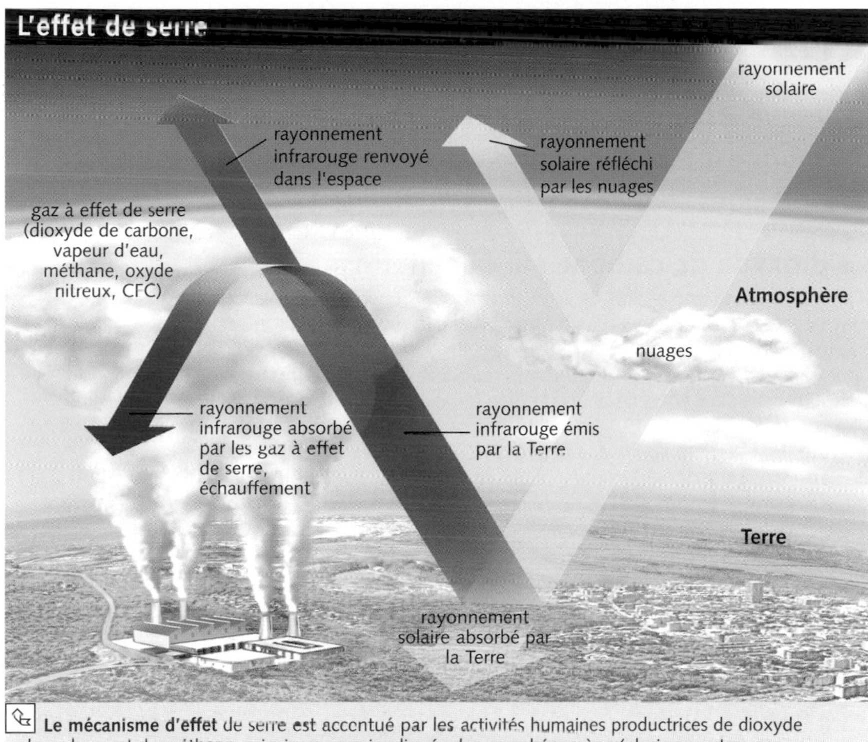

Le mécanisme d'effet de serre est accentué par les activités humaines productrices de dioxyde de carbone et de méthane, principaux gaz impliqués dans ce phénomène (plusieurs autres gaz plus rares sont également incriminés).

ment), et leur bilan énergétique est parfois perturbé par des phénomènes divers (par exemple la condensation de la vapeur d'eau présente dans l'atmosphère). Mais, conformément aux lois de la physique, l'ensemble finalement s'équilibre, l'atmosphère terrestre restituant la totalité de l'énergie reçue du Soleil.

Un phénomène bénéfique, s'il reste limité

L'effet de serre est fondamentalement un processus bénéfique à la vie : en son absence, la température moyenne de notre planète serait de – 18 °C, et l'on peut douter que, dans ces conditions, des formes de vie organisées puissent se développer. Mais point trop n'en faut ! La planète Vénus, par exemple, souffre d'un effet de serre débridé, alors qu'elle ressemblait beaucoup à la Terre lorsque ces deux planètes étaient encore jeunes. La température de surface y est d'environ 400 °C (une chaleur à laquelle aucune forme de vie connue ne résiste !) : pour l'essentiel, ce n'est pas parce que Vénus est plus proche du Soleil que la Terre, mais bien parce que son atmosphère est composée à 95 % de dioxyde de carbone (CO_2)

Les gaz à effet de serre

Plusieurs gaz ont pour propriété de réchauffer notre atmosphère. Certains existent dans l'air depuis des millions d'années, alors que d'autres sont des créations humaines.

Le dioxyde de carbone sur la sellette

Il existe plusieurs gaz à effet de serre (dits : GES). Leur effet sur le climat dépend de différents facteurs : leur efficacité à absorber les infrarouges, évidemment, mais aussi leur longévité dans l'atmosphère, leur abondance et l'importance des apports humains dans leur concentration. On considère en général que le plus important d'entre eux est le dioxyde de carbone, ou CO_2 (dit aussi gaz carbonique), qui contribue à hauteur de 40 % à l'effet de serre total. Ce gaz représente 0,038 % de l'atmosphère (soit 380 ppmv), ce qui peut sembler très faible. Toutefois, lorsque l'on sait que l'atmosphère est constituée à 99 % d'oxygène et d'azote, des gaz transparents au rayonnement infrarouge, on comprend que tout se joue dans le 1 % restant. La concentration de CO_2 a augmenté d'environ 30 % depuis le début de l'ère industrielle, et il faut savoir qu'une molécule de CO_2 peut

LEXIQUE

[Ppmv]
Abréviation pour « parties par million en volume ». Donc 1 ppmv équivaut à 0,0001 %, donc 1 cm^3 du gaz par m^3 d'air. Pour les gaz plus rares, on parle de ppbv, parties par milliard (en anglais *billion*) en volume.

Les sources anthropiques d'émission de gaz à effet de serre

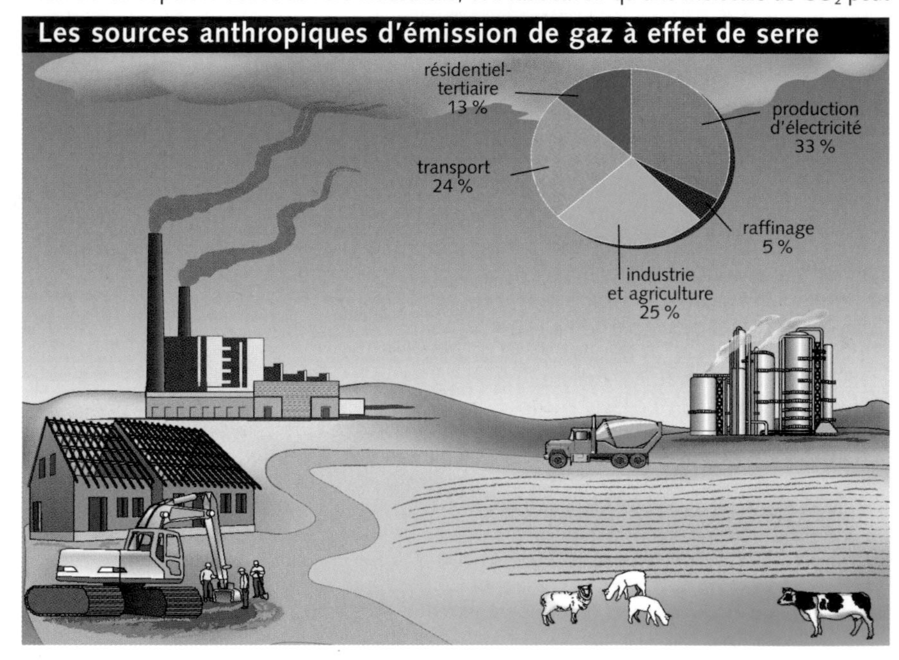

L'importance de l'eau

Le premier des gaz à effet de serre, et un des moins mentionnés, est la vapeur d'eau. La concentration atmosphérique de ce gaz est plus élevée que celle des autres GES (0,3 %). L'eau est impliquée à environ 55 % dans l'effet de serre, mais, vu son abondance sur notre planète, l'influence humaine peut être considérée comme négligeable sur sa concentration, d'autant que l'eau ne séjourne pas longtemps dans l'atmosphère : 8 à 15 jours environ.

rester dans l'atmosphère près de 2 siècles ! Le temps de séjour atmosphérique des gaz à effet de serre est un facteur crucial : de lui dépend l'inertie du système. La durée de vie des GES implique que le climat sera long à réagir, même si nous réduisons nos émissions.

Méthane, protoxyde d'azote et ozone

Trois autres gaz interviennent chacun pour 2 % dans le processus d'effet de serre. Il s'agit du méthane, ou CH_4 (1,8 ppmv), du protoxyde d'azote, ou N_2O (0,3 ppmv), et de l'ozone, ou O_3 (0,03 ppmv).
Le méthane absorbe les infrarouges avec une redoutable efficacité : 20 à 50 fois mieux que le dioxyde de carbone. En outre, l'homme accroît sa concentration plus rapidement encore que celle du CO_2 : elle a plus que doublé depuis le début de l'ère industrielle. Heureusement, le méthane a une durée de vie dans l'atmosphère relativement courte : environ une décennie. Ce n'est pas le cas du protoxyde d'azote, qui y réside durant 120 ans (et qui absorbe 253 fois plus de rayonnement que le CO_2...) !
Quant à l'ozone, sa chimie complexe fait qu'il est sans cesse en train de se dégrader puis de se reconstituer. La part strictement humaine de sa concentration est pour l'instant difficile à évaluer, mais ce qui est certain c'est qu'elle augmente dans la basse atmosphère alors que sa concentration dans la stratosphère (à plus de 12 km du sol) est en baisse : c'est le fameux trou d'ozone, un phénomène à ne pas confondre avec le réchauffement, même si des liens entre les deux processus existent.

Les créations humaines

Enfin, il existe une série de gaz, créés par l'homme, dont la concentration atmosphérique peut sembler infinitésimale (les émissions sont 1 million de fois plus faibles que celles de CO_2), mais dont le rôle climatique n'est pas négligeable.
Il s'agit principalement d'halocarbures : les CFC (chlorofluorocarbures) et les HFC (hydrofluorocarbures) sont les plus connus d'entre eux. Ces gaz ont un pouvoir réchauffant très important et, de par leur stabilité chimique, une durée de vie dans l'atmosphère particulièrement longue, pouvant aller jusqu'à plusieurs milliers d'années.

Les puissants gaz à effet de serre contenus dans cette véritable mer de vieux réfrigérateurs vont peu à peu, à mesure que la corrosion fait son œuvre, gagner l'atmosphère : c'est un exemple de l'« effet retard » qui caractérise nos actions sur le climat.

Une histoire tumultueuse

Dans le passé, la concentration en gaz à effet de serre a beaucoup varié : ils peuvent en effet être libérés ou stockés par divers processus géologiques (sédimentation, volcanisme...).

L'indispensable étude du passé

Aiguillonnée par l'inquiétude climatique, la science des climats du passé, ou paléoclimatologie, fait actuellement de rapides progrès. Il est en effet indispensable de définir précisément les conditions qui régnaient autrefois sur notre planète afin de décrypter les mécanismes à l'œuvre aujourd'hui – des mécanismes nombreux, contradictoires et complexes. Et cela est d'autant plus vrai lorsqu'on s'efforce de mettre

Piégées dans ces carottes de glace stockées à basse température, de minuscules bulles de l'atmosphère terrestre du passé révèlent la façon dont sa composition a varié dans le temps.

ces processus en équation pour pouvoir en prédire l'évolution. Mais le climat ne livre pas facilement son histoire : il faut disposer de nombreuses données pour en avoir une image fine (température, précipitations, vents, humidité, niveau et éventuels courants marins – sans compter les possibles variations saisonnières !). Les paléoclimatologues ont donc développé une boîte à outils aussi remarquable que diversifiée, qui leur permet d'essayer d'approcher le passé de notre planète.

Différentes sources d'information

En premier lieu, les carottes de glace sont capables d'offrir une véritable mine d'informations, dont la richesse est encore en cours d'exploration. Les glaciers et surtout les calottes polaires se forment en effet par des chutes de neige, dont l'empilement génère une pression suffisante, au bout d'un moment, pour former de la glace.
Ce mécanisme piège des bulles d'air, un air qu'il est possible de récupérer pour l'analyser en broyant ladite glace dans des conditions de laboratoire. Autrement dit, la glace effectue un véritable échantillonnage direct de l'atmosphère, et met ensuite obligeamment ces archives à la disposition des scientifiques !
La récupération de ces données reste cependant une grande aventure, supposant des forages très profonds (plus de 3 km !) dans des zones polaires hostiles. Cette technique a permis d'obtenir des renseignements détaillés sur l'évolution climatique et atmosphérique du dernier million d'années.
Les sédiments marins et, dans une moindre mesure, lacustres sont également une importante source de données. On y trouve généralement beaucoup de débris d'organismes, car les êtres vivants se décomposent moins facilement dans l'eau que sur les continents. La composition chimique de ces restes renseigne sur les conditions qui régnaient de leur vivant (abondance d'oxygène, de carbone, température…). L'identité des organismes dont ils proviennent donne aussi des renseignements : on sait par exemple que tel mollusque fréquentait les eaux chaudes, ou que telle algue unicellulaire ne se développait que dans les milieux bien oxygénés. Les grains de pollen donnent également une bonne idée des flores et donc du climat.

Le problème des datations

Reconstituer les climats du passé ne suppose pas seulement recueillir des données climatiques (période de sécheresse, ou de froid), mais aussi leur attribuer une date ! Ce problème peut être résolu grâce à des fossiles dits « stratigraphiques », c'est-à-dire caractérisant une époque (si possible courte) connue. On utilise également des propriétés physiques de différents atomes, qui existent sous plusieurs formes, dont la proportion respective donne des renseignements. Ainsi le carbone, présent en général sous la forme C12, existe dans l'atmosphère aussi sous la forme C14, produite par le rayonnement cosmique. Mais le C14 se décompose naturellement, à un rythme connu (la moitié disparaît en 5 700 ans environ), dès lors qu'il est soustrait à ce rayonnement, c'est-à-dire enterré. Cela fournit une bonne méthode de datation des terrains sédimentaires.

Une atmosphère moins chargée en CO_2

Mais, plus on s'éloigne dans le temps, plus les indications deviennent imprécises. Les fossiles sont plus rares et plus détériorés, les mouvements de la croûte terrestre provoquant une destruction et un renouvellement permanents des fonds océaniques. On sait néanmoins que l'histoire de la Terre a commencé il y a 4,5 milliards d'années, très

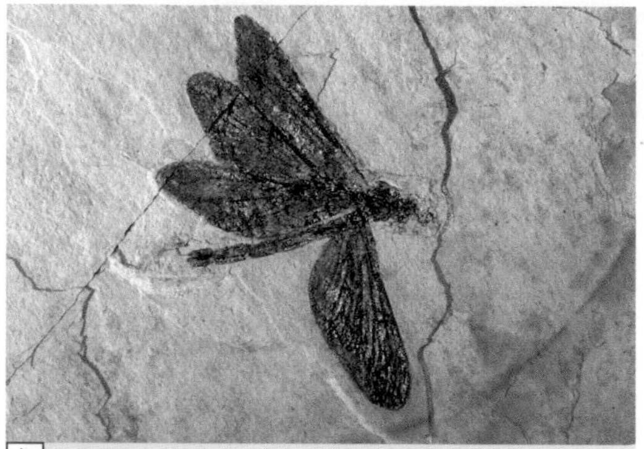

Ce fossile de libellule, piégé dans des sédiments du crétacé, donne, par sa présence, de précieux renseignements sur le climat qui régnait à son époque.

probablement dans une atmosphère surchauffée, chargée de dioxyde de carbone et de vapeur d'eau, composés qui ont provoqué un niveau d'effet de serre jamais retrouvé depuis par notre planète. La vapeur d'eau terrestre s'est ensuite condensée, produisant un véritable déluge, à l'origine des océans. Puis, sous l'action des êtres vivants, l'effet de serre a continué de diminuer, grâce à la réduction progressive du dioxyde de carbone de l'atmosphère. Ce carbone a été progressivement stocké : d'une part, sous forme de gigantesques bancs de calcaire, formés au fond des océans par l'action conjointe d'un type de bactéries (les cyanobactéries) et d'organismes à coquille, et, d'autre part, par la végétation. Les gisements de charbon, de pétrole et de gaz naturel proviennent d'anciennes forêts dont les restes chargés en matière organique se sont empilés, processus qui a isolé peu à peu leur carbone de l'atmosphère.

L'influence de facteurs géologiques

Cette réduction de l'effet de serre s'est combinée à un réchauffement du Soleil, dont la puissance de rayonnement s'est accrue d'environ 30 % à mesure qu'il est passé du statut d'étoile jeune à celui d'adulte. Les conditions à la surface de la Terre sont donc restées relativement stables. Il faut toutefois noter que des épisodes volcaniques peuvent remettre en circulation une partie du carbone stocké dans le sol. Ainsi le crétacé supérieur, il y a 80 millions d'années, aurait été la période la plus chaude de l'histoire de notre planète à la suite d'une phase volcanique intense (générant un taux de dioxyde de carbone atmosphérique trois fois supérieur à l'actuel). On pense que la Terre aurait alors été de 6 à 10 °C plus chaude qu'aujourd'hui. À l'inverse, l'apparition de montagnes peut réduire la charge atmosphérique en CO_2 par des réactions chimiques d'altération des roches, réactions qui stockent du carbone. La formation de l'Himalaya, il y a 10 millions

La formation de ces falaises de calcaire sous l'action de micro-organismes marins a permis de retirer de l'atmosphère d'énormes quantités de dioxyde de carbone.

d'années, aurait divisé par deux la concentration atmosphérique en CO_2, contribuant au relatif refroidissement global qui caractérise notre ère géologique actuelle.

La Terre boule de neige

Certains scientifiques pensent qu'il y a quelque 700 millions d'années notre planète aurait connu plusieurs épisodes au cours desquels elle se serait durablement et entièrement englacée – des épisodes qu'ils décrivent par l'expression imagée « Terre boule de neige » *(Snowball Earth)*. Un des mécanismes proposés est celui d'un emballement vers le froid, provoqué par une croissance des calottes polaires : celles-ci auraient alors réfléchi une part toujours plus grande du rayonnement solaire, aggravant en retour le refroidissement. Notre planète se serait finalement stabilisée à une température de – 40 °C..., jusqu'à un épisode volcanique massif qui aurait remis en circulation assez de CO_2 pour réchauffer la planète et faire fondre la glace.

Un acteur climatique décisif

Parce qu'il amplifie les effets des variations d'ensoleillement sur le climat, l'effet de serre joue un rôle climatique majeur, et non pas marginal.

Le climat sous de multiples influences

Les scientifiques savent depuis longtemps que l'effet de serre a une influence sur le climat, puisqu'il modifie l'équilibre thermique du système Terre/atmosphère. Mais l'importance de cette influence a fait débat durant des décennies. Après tout, bien d'autres facteurs sont susceptibles de modifier le climat, et d'une manière que l'on pourrait juger plus décisive que l'effet de serre. À commencer par la quantité de rayonnement solaire reçu. Celle-ci varie en premier lieu en fonction du Soleil lui-même, dont la luminosité se modifie : il rayonne aujourd'hui plus énergiquement qu'il y a quelques milliards d'années, et il connaît en outre des pics d'activité périodiques. Et puis la quantité de rayonnement solaire reçu dépend également de l'orbite de la Terre, soumise à des variations cycliques : cette orbite forme notamment une ellipse plus ou moins allongée, qui éloigne ou bien rapproche notre planète de son astre, au rythme de ses oscillations. L'inclinaison de l'axe de la Terre par rapport au plan de l'orbite varie également. Tout cela affecte la répartition du rayonnement solaire selon la latitude et la saison. Le climat est influencé, en outre, par la tectonique des plaques, c'est-à-dire la forme et la position des continents. Ainsi l'existence actuelle d'un continent au pôle Sud, en permettant la formation d'une calotte de plusieurs kilomètres d'épaisseur, a retiré du cycle de l'eau l'équivalent de 120 m d'épaisseur d'eau océanique sur la planète, ce qui n'est pas négligeable (au pôle Nord, où il n'y a pas de continent, la banquise ne dépasse jamais quelques mètres d'épaisseur). De même, la formation de chaînes de montagnes comme l'Himalaya a généré des phénomènes climatiques importants, tels que les moussons. Enfin, la position des continents, en modelant les courants marins, pèse également sur les échanges thermiques de la planète.

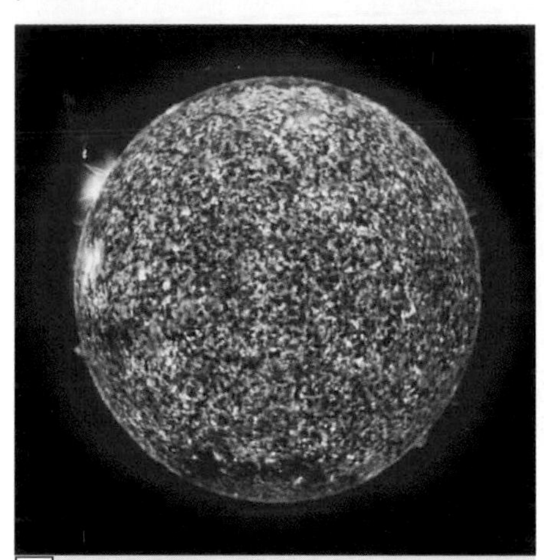

L'énergie émise par le Soleil varie au fil du temps, tout comme sa position par rapport à la Terre. Mais ces changements ne suffisent pas à expliquer les évolutions climatiques.

Température, carbone et méthane

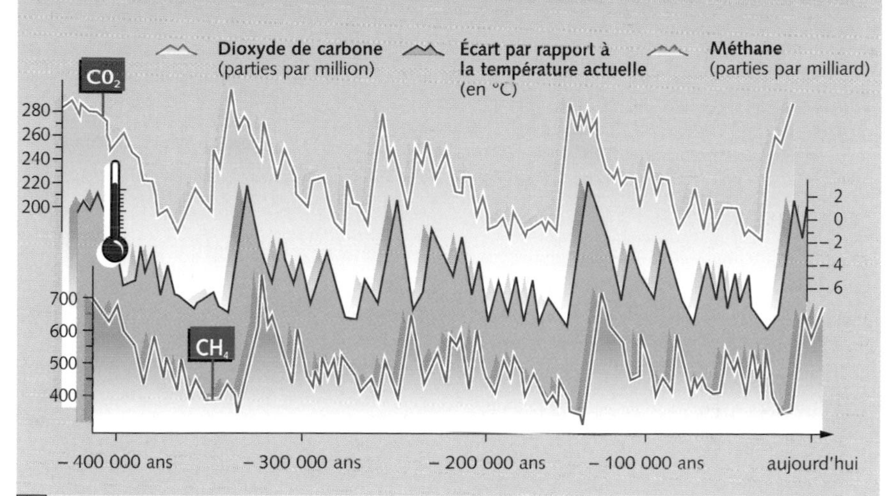

Au cours des 450 000 dernières années, la courbe de la température moyenne sur terre a toujours été parallèle à celles des émissions en dioxyde de carbone et en méthane – c'est en tout cas ce que nous révèlent les glaces de l'Antarctique. Déverser d'énormes quantités de ces deux gaz, comme nous le faisons actuellement, a donc toutes les chances de réchauffer rapidement notre planète.

Une courbe accusatrice

Mais, en 1999, la revue *Nature* a publié les résultats des analyses des premières carottes de glace prélevées dans l'Antarctique. Il en ressort que, depuis 500000 ans, la courbe des températures suit de près celles de la quantité de CO_2 et de méthane, les deux principaux gaz à effet de serre générés par les activités humaines. La courbe est parallèle aux cycles astronomiques de l'ensoleillement ; mais les changements d'ensoleillement subis par la planète sont très faibles. Ce que nous apprennent donc ces données, c'est que leur impact est amplifié, et que cette amplification provient de l'effet de serre. Celui-ci provoque donc ce qu'on appelle une rétroaction positive sur l'augmentation de la température. On en ignore encore les mécanismes exacts, mais plusieurs hypothèses sont envisagées par les scientifiques. On sait ainsi que les eaux océaniques dissolvent mieux le CO_2 lorsqu'elles sont froides. Un réchauffement, même faible, provoque sans doute une libération de CO_2, qui en retour accentue le réchauffement... Des phénomènes analogues peuvent être proposés pour le méthane. L'effet de serre joue donc un rôle déterminant dans le climat mondial.

La signature de l'homme

On sait que les milieux naturels émettent ou stockent des gaz à effet de serre.
On peut donc légitimement se demander si leur augmentation dans l'atmosphère, mesurée depuis le début de l'ère industrielle, n'est pas due à un phénomène naturel. En fait, le carbone d'origine fossile n'a pas la même composition que celui qui est présent à la surface du globe (il ne contient plus de C14).
Or les analyses atmosphériques montrent d'année en année une baisse relative du C14, montrant que les coupables sont bien les combustibles fossiles...

La prévision du climat est sans doute un des très grands défis scientifiques. Elle est en effet au carrefour d'un nombre très élevé de disciplines, et porte sur des phénomènes d'ampleur planétaire, en interaction constante, qu'il est particulièrement difficile d'étudier. Les chercheurs commencent néanmoins à bâtir des scénarios plausibles, dont la fiabilité s'accroît d'année en année, de notre avenir climatique. C'est à l'aide de ces outils imparfaits qu'il nous faut anticiper le réchauffement à venir et nous efforcer d'en réduire les impacts.

Le réseau international de stations d'observation (ici celle de *Mount Washington*, aux États-Unis) fait partie des outils permettant de suivre l'évolution de notre climat.

Prévoir le climat

Le GIEC, un expert mondial du climat

La complexité des problèmes climatiques a donné naissance à une structure originale d'expertise, le GIEC, chargée d'informer public et décideurs de l'état des connaissances.

Des centaines de scientifiques issus de 170 États

La principale source d'informations scientifiques de qualité sur le réchauffement climatique (d'ailleurs abondamment utilisée pour la rédaction de cet ouvrage) est le GIEC, le Groupe intergouvernemental sur l'évolution du climat *(Intergovernmental Panel on Climate Change – IPCC* en anglais). Compte tenu de l'importance des enjeux, cet organisme mérite d'être présenté, ne serait-ce que pour justifier la crédibilité de ses analyses.

Le GIEC, fondé en 1986 par l'Organisation météorologique mondiale (OMM) et par le Programme des Nations unies pour l'environnement (PNUE), n'est pas un organisme de recherche. Il s'est donné pour rôle « d'expertiser l'information scientifique, technique et socio-économique qui concerne le risque de changement climatique provoqué par l'homme ». Cela consiste à fournir, à intervalles réguliers, des rapports qui résument l'état des connaissances scientifiques sur le climat à un instant donné.

Pour ce faire, le GIEC fait appel à une centaine de scientifiques faisant référence dans leur discipline et représentant au mieux la diversité des 170 États membres. Vu le caractère très interdisciplinaire de l'expertise climatique, ces scientifiques sont aussi bien climatologues que géographes, économistes, démographes, glaciologues, physiciens de l'atmosphère, etc.

La thèse du complot

Les détracteurs du GIEC ne sont pas nombreux, et ce sont rarement des scientifiques. Une de leurs principales difficultés est d'expliquer pourquoi une communauté unanime de chercheurs chercherait à accréditer une idée fausse, se prêtant à une sorte de « complot » intellectuel de grande ampleur. De plus, il faudrait expliquer pourquoi se prêtent à ce complot la plupart des grandes industries, qui désormais reconnaissent la réalité du changement climatique (même le groupe pétrolier Exxon, historiquement fer de lance et principal financeur du scepticisme climatique, a fini par admettre le réchauffement). Il faut expliquer enfin pourquoi tous les États du monde, États-Unis et Arabie saoudite inclus, reconnaissent aujourd'hui que les activités humaines font courir un risque à la stabilité du climat.

Des rapports unanimes

Ces spécialistes prennent connaissance de l'abondante littérature scientifique relevant de leur domaine, puis rédigent des rapports, qui sont ensuite diffusés à la communauté des spécialistes (plusieurs milliers d'individus) afin que ces derniers puissent en prendre connaissance, émettre des réserves, faire des suggestions, etc. Ces réponses sont collectées, examinées et, s'il y a lieu, intégrées dans les rapports. Les rapports sont ensuite soumis au vote de l'assemblée générale du GIEC.

Sous une allure de boule de cristal, cet appareil sert à mesurer l'intensité du rayonnement solaire : l'objectif est bien de prédire l'avenir du climat...

Cette assemblée comprend, outre des scientifiques, des représentants politiques des États membres (parmi lesquels figurent les États-Unis, la Chine ou l'Arabie saoudite). Pour être adoptés, les rapports et les recommandations doivent recueillir l'unanimité des voix, ce qui a toujours été le cas jusqu'à présent.

Des données publiques de référence

Les experts qui travaillent pour le GIEC le font bénévolement ; en contrepartie, ils bénéficient d'un grand prestige au sein de la communauté scientifique.
Le dernier rapport du GIEC, paru en 2007 (souvent désigné par les initiales AR4 pour «Assessment Report 4 »), peut donc véritablement être considéré comme la synthèse de référence en matière de climat. L'énorme développement qu'a connu ces dernières années la recherche climatologique, synthétisée dans ce document, lui donne d'autant plus de poids.
Les rapports du GIEC sont disponibles en langue anglaise sur internet (www.ipcc.ch). On trouve également sur ce site des « résumés à l'attention des décideurs », bien plus lisibles, et traduits en plusieurs langues. Le rapport de 2007 comportant plus de 1000 pages, l'intérêt de disposer de résumés courts mais complets saute aux yeux.

Les modèles

Des simulations informatiques, soigneusement édifiées à partir des lois de la physique, permettent d'anticiper le climat futur de la Terre.

L'atmosphère découpée en cubes

Comment obtenir des informations sur le comportement de notre planète d'ici 50 ou 100 ans ? Confrontés à l'impossibilité de faire des expériences en conditions réelles, les scientifiques en sont réduits à construire des modèles, c'est-à-dire à simuler par des programmes informatiques le comportement de l'atmosphère. Pour ce faire, ils divisent celle-ci en un nombre fini de points, ou plus exactement de volumes, des sortes de « briques » dont la taille varie selon la précision du modèle. Ces « briques », généralement nommées « mailles », ont en général 200 à 300 km de côté dans les modèles globaux, moins dans les modèles régionaux. Elles font habituellement 1 km de hauteur.
Les conditions en vigueur dans chaque maille (température, humidité, pression, concentration en tel ou tel gaz, salinité de la mer...) sont définies pour l'état initial du modèle (cet état initial est souvent la situation actuelle, ou celle de 1990, année de référence des accords internationaux). L'évolution à partir des conditions initiales est régie par des systèmes d'équations qui cherchent à approcher au mieux les phénomènes naturels : diffusion des gaz, conduction de la chaleur, propriétés optiques de l'air, etc. La suite des expériences consiste à faire fonctionner les modèles, et à observer le comportement du système pendant des durées définies, jugées significatives (il s'agit souvent de plusieurs décennies).

Différentes techniques de modélisation

Il existe une vingtaine de modèles globaux reconnus par la communauté internationale, parmi lesquels on peut citer : celui du Hadley Centre britannique ; les différentes versions du *Community Climate Model* ou *CCM*, développées au *National Center for Atmospheric Research* aux États-Unis ; celui de l'Institut Pierre-Simon Laplace (IPSL) en France ; celui du *Potsdam Institut fur Klimafolgenforschung (PIK)* allemand ; et, surtout, celui du Centre européen de prévision météorologique à moyen terme (CEPMMT ou ECMWF), basé en Angleterre, mais européen. Vu l'impossibilité de représenter tous les phénomènes à l'œuvre, la science du modélisateur consiste à bien choisir les phénomènes qu'il intègre dans son modèle et ceux qu'il laisse de côté, considérant que ces derniers sont négligeables relativement aux premiers. Il faut bien sûr également que

Réduire les mailles

L'un des principaux objectifs des modélisateurs est de parvenir à réduire la taille des mailles des modèles. Beaucoup de phénomènes, et notamment ceux qui ont trait au cycle de l'eau (formation des nuages, précipitations...), se déroulent en effet à des échelles beaucoup plus petites que celles utilisées.
Mais cette réduction du maillage suppose un accroissement considérable de la puissance de calcul...

les équations représentant les processus à l'œuvre restituent au mieux la réalité !
C'est sur ces différents points que les divers logiciels existant actuellement se distinguent les uns des autres.

Unanimes sur le réchauffement

Pour valider leur travail, les modélisateurs testent leurs logiciels sur les climats du passé. Les scientifiques disposent par exemple de séries plus ou moins complètes de température et de pluviométrie depuis les années 1860, qui servent de référence pour valider le bon fonctionnement des laboratoires. Il est intéressant de noter que, malgré la diversité des laboratoires et des choix scientifiques, les résultats des modélisateurs sont souvent assez homogènes, notamment sur la question des températures.
Aucun des modèles actuels, par exemple, ne prédit une température stable à l'horizon 2100. De même, il n'existe pas de modèle qui parvienne à expliquer, par la seule intervention des phénomènes naturels, le réchauffement de 0,74 °C observé à l'échelle du globe depuis un siècle : la responsabilité humaine est avérée.

Un modèle climatique

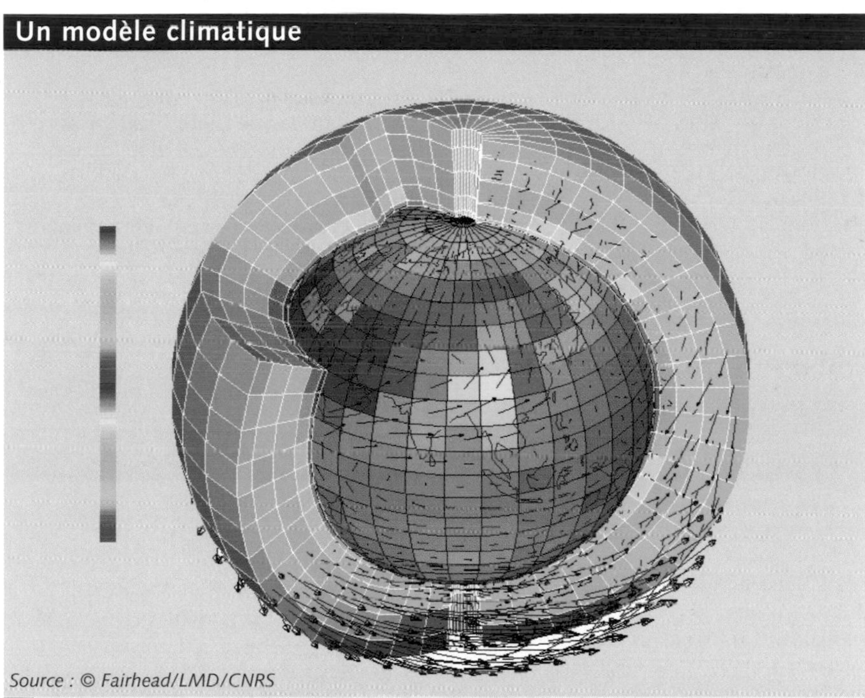

Source : © Fairhead/LMD/CNRS

Les modèles climatiques découpent l'atmosphère en une série de « cases » dotées de propriétés telles que température, pression, humidité, vitesse de vent, etc. Leurs interactions sont ensuite calculées par des équations mathématiques. Plus les cases sont petites, plus le modèle est précis géographiquement... mais plus il consomme de puissance de calcul !

De nombreuses incertitudes

Nombreux sont les phénomènes qui sont encore, sinon mal compris, du moins difficiles à chiffrer. Voici un rapide tour d'horizon de ces épines dans le pied des modélisateurs.

L'évolution de la nébulosité dans l'avenir est un des aspects du climat les plus difficiles à prédire. Pourtant, elle influera fortement sur le réchauffement.

Des rétroactions problématiques

Il est particulièrement difficile de faire des prédictions sur les phénomènes climatiques. Certains d'entre eux ne sont d'ailleurs sans doute tout simplement pas prévisibles, et relèvent de ce qu'on appelle la théorie du chaos. Plus généralement, diverses incertitudes scientifiques entachent la fiabilité des modèles. Le climat résulte en effet de processus qui se déroulent à la fois dans tous les milieux vivants, dans les océans, dans l'atmosphère, dans les sols, dans les glaces... Et les différents phénomènes à l'œuvre interagissent les uns avec les autres, provoquant ce qu'on appelle des rétroactions.

LEXIQUE

[Théorie du chaos] Théorie qui s'intéresse aux phénomènes « non linéaires », dans lesquels une modification infinitésimale de l'état initial change radicalement l'état final. La mise en équation de tels phénomènes est évidemment très problématique.

Ces rétroactions sont difficiles à quantifier. Certaines sont négatives, c'est-à-dire qu'elles s'opposent à l'évolution du système. Ainsi, lorsque CO_2 et température s'élèvent, la végétation réagit en poussant plus vite (en zone tempérée, la productivité des forêts s'est ainsi accélérée de 30 % en un siècle). Ce faisant, elle stocke davantage de carbone et ralentit le réchauffement. À l'inverse, lorsque la température de l'océan s'élève, la quantité de CO_2 qui s'y dissout décroît, en vertu d'une loi élémentaire de la physique ; le CO_2 libéré accélère en retour l'accroissement de la température, générant donc une rétroaction positive... Il existe des dizaines de rétroactions potentielles, et leur prise en compte est souvent problématique.

Nuages et aérosols

Une autre source d'incertitude tient à la formation des nuages. On sait que la vapeur d'eau est un gaz à effet de serre puissant. Le réchauffement devrait donc a priori provoquer une rétroaction positive importante, puisque, en augmentant l'évaporation, il augmente la quantité de vapeur d'eau dans l'air. Mais en réalité cette vapeur d'eau forme assez rapidement des nuages, et ses effets varient alors. Pour simplifier, les nuages fins de haute altitude (type cirrus) laissent passer beaucoup de lumière solaire, tout en bloquant le rayonnement infrarouge terrestre. Ils ont donc un net effet réchauffant. À l'inverse, les nuages bas et épais réfléchissent l'essentiel de la lumière solaire, provoquant l'effet contraire. Or la dynamique des nuages, très complexe en soi, dépend en outre de facteurs locaux dont l'échelle est bien inférieure à celle des mailles constituant les modèles... Les scientifiques ont des problèmes analogues avec ce qu'on appelle les aérosols, c'est-à-dire des gouttelettes ou des poussières mises en suspension dans l'atmosphère, aérosols dont la production a énormément augmenté depuis le début de l'ère industrielle.

Là encore, les aérosols sombres (les suies, par exemple) tendent à absorber davantage de chaleur, alors que les plus clairs (sulfates) ont un effet réfléchissant. Pour ne rien arranger, les aérosols, en offrant des noyaux de condensation à la vapeur d'eau, ont un effet – mal maîtrisé – sur la formation des nuages...

Imprévisible vivant

Les réactions du vivant au réchauffement sont elles aussi difficiles à prédire, donc à modéliser. Le vivant stocke et libère en effet d'énormes quantités de carbone, notamment dans l'océan

Les coquilles calcaires fabriquées par certains micro-organismes marins permettent pour l'instant de stocker de grandes quantités de carbone dans l'océan. Mais on ignore comment ce processus va évoluer.

par le biais du plancton marin. Des algues unicellulaires (les diatomées), en particulier, édifient des coquilles contenant du carbone, lesquelles coulent au fond de l'eau lorsque l'algue meurt. Cela génère une véritable « pluie » de carbone depuis la surface vers les grands fonds, où ce carbone s'accumule. Or, on pense que les diatomées, qui tolèrent mal le réchauffement, risquent d'être remplacées par d'autres algues, moins bonnes exportatrices de carbone. Les conséquences d'une telle évolution, si elle se confirmait, seraient importantes. Et il existe de nombreux processus de ce type dont la prédiction nécessite des progrès.

Une heureuse surprise ?

Compte tenu de la complexité du sujet, certains sont tentés de placer leurs espoirs dans quelque processus physique imprévu qui surgirait à l'improviste et nous éviterait le réchauffement annoncé par les experts. Mais l'évolution presque parfaitement parallèle des températures et des concentrations en CO_2 et en CH_4 dans l'atmosphère, révélée en 1999 par *Nature*, plaide contre cet espoir. La courbe montre en effet que, au cours des 450 000 dernières années, la température ne s'est jamais découplée des concentrations en gaz à effet de serre ! Néanmoins, on ne peut en théorie exclure une surprise, d'autant que nous sommes à présent à un niveau de CO_2 pour lequel il n'y a pas de précédents. Mais la surprise, par définition, a autant de chances d'être bonne que mauvaise. Et, dans ce dernier cas, n'avoir pas réduit nos émissions s'avérera aggravant.

Inquiétude sur le méthane

Un autre acteur du climat qui pose problème aux modélisateurs est le méthane, un gaz à effet de serre bien plus puissant que le dioxyde de carbone, même si sa durée de séjour dans l'atmosphère est nettement plus faible. Le méthane est parfois dit « gaz du pourrissement », car il est émis par des bactéries qui dégradent la matière organique en conditions anaérobie, c'est-à-dire en l'absence d'oxygène. On trouve de telles bactéries dans le tube digestif des herbivores, en particulier, mais aussi dans toutes les zones humides et marécageuses de la planète (notamment les rizières). Si, sous l'effet du réchauffement, les précipitations augmentent, il n'est pas exclu que cela fasse, mécaniquement, augmenter les émissions de méthane.

De plus, les sols gelés du Grand Nord (notamment le Canada et la Sibérie) commencent à fondre sous l'effet de la hausse des températures. La fonte du sol profond gelé (pergélisol) génère dans un premier temps d'immenses marécages, très producteurs

C'est dans l'avenir du permafrost, qui occupe les vastes étendues glacées de la toundra arctique, que réside une partie de la clé de notre avenir climatique.

de méthane. Il est possible qu'ensuite, si ces zones se couvrent de forêts, cette production se stabilise, voire s'interrompe... mais on ignore à quel rythme, et si ce sera partout le cas. Il faudra sans doute encore quelques années avant que ces phénomènes ne soient correctement modélisés.

Les raisonnements restent valables

L'existence de processus particuliers difficiles à mettre en équation ne disqualifie pas nécessairement les modèles existants. Ces phénomènes incertains peuvent éventuellement être négligés, ou bien représentés par des approximations, sans que la validité du modèle global ne soit compromise. L'essentiel est aujourd'hui que, même s'il est difficile à chiffrer, le réchauffement futur de la planète sous l'effet des activités humaines est tenu pour certain par la communauté scientifique.

Agir, maintenant

Le caractère imparfait de nos connaissances climatiques ne nous condamne pas à la paralysie : il y a assez de tendances avérées pour agir dès maintenant, tout en continuant les recherches.

Gérer les lacunes de la connaissance

Si les modèles sont imparfaits, si le climat est complexe (comme l'atteste la quasi-impossibilité de prédire la météo à plus de 7 jours !), si l'on découvre périodiquement de nouveaux phénomènes, peut-on vraiment être sûr que le climat se réchauffe ?
Et est-il alors justifié de faire des changements douloureux dans notre mode de vie sur la base de connaissances imparfaites ? Peut-on fonder des décisions importantes sur une science lacunaire ? Ces interrogations sont tout à fait fondamentales pour notre avenir. Dans les problèmes environnementaux, l'incertitude scientifique est l'argument fondamental des partisans du statu quo, qu'il s'agisse d'individus, d'entreprises ou de gouvernements. Et, pourtant, cet argument est de toute évidence irrecevable.
D'abord parce que la communauté scientifique est presque unanime à prédire un réchauffement planétaire. Aucun des 22 modèles globaux climatiques actuellement estimés sérieux par les spécialistes ne prédit la stabilité. En simplifiant le propos, les désaccords ne portent que sur les rythmes, l'ampleur et la répartition planétaire des changements annoncés.
Cette unanimité n'est pas toujours bien perçue par le grand public pour deux raisons.
La première est son caractère assez récent : le réchauffement climatique, dans le rapport du GIEC de 1995, n'était encore considéré que comme probable, alors qu'en 2007 il est considéré comme « sans équivoque ». Or, si la communauté scientifique est habituée à se tenir informée des travaux des uns et des autres et à intégrer rapidement les changements, il n'en va pas de même pour les médias et les politiques, chargés de répercuter et de prendre en compte ces changements.

Un dysfonctionnement médiatique

La seconde résulte du fait qu'un certain nombre d'individus « sceptiques » sur le changement climatique ont bénéficié d'une audience médiatique sans rapport avec leur compétence scientifique et leur reconnaissance dans la communauté des chercheurs.
Le plus célèbre d'entre eux, sur le plan international, est le Danois Bjorn Lomborg, statisticien, auteur de *l'Écologiste sceptique*, qui a vendu à des millions d'exemplaires à travers le monde un ouvrage niant purement et simplement l'existence de la crise écologique actuelle. Pratiquement chaque pays du globe a son Lomborg national, qui n'est d'ailleurs quasiment jamais un spécialiste du climat. L'audience qu'ont eue ces auteurs (actuellement en voie de réduction) résulte principalement d'un dysfonctionnement médiatique.

LEXIQUE

[Écologie]
Science des relations d'une espèce vivante avec son milieu, et avec les autres espèces vivantes.

Mis en scène avec humour par des ONG manifestant pour le climat, le conflit entre les besoins de la planète et la société de consommation dominera les prochaines décennies.

Beaucoup de journalistes, se sentant peu compétents sur le climat, sont en effet plus à l'aise s'ils laissent s'exprimer deux points de vue contradictoires. Ils pensent ainsi se mettre à l'abri du reproche d'avoir été manipulés par les défenseurs de l'une ou l'autre thèse. Même si aujourd'hui les « sceptiques » ont moins l'oreille des médias qu'auparavant, ils y trouvent encore un accueil plus favorable que chez les scientifiques. Ainsi, une étude a révélé que sur près de 1 000 articles récents parus dans des revues scientifiques, aucun ne contestait la réalité du réchauffement dû à l'homme !

L'inaction indéfendable

Outre l'inéluctabilité du réchauffement, deux autres points, très importants, font consensus parmi les scientifiques. Ces derniers sont en effet d'accord pour affirmer que le facteur humain est déterminant dans le changement à venir, même si la part exacte de son influence fait encore débat. Et ils sont aussi d'accord pour dire que le réchauffement à venir variera proportionnellement en fonction de nos émissions en GES. Davantage d'émissions provoqueront un changement plus rapide, plus important, et qui durera plus longtemps. Nous avons donc là, malgré des incertitudes que personne ne songe à nier, suffisamment d'éléments pour pouvoir commencer à agir.

Une image du climat de demain commence à émerger des travaux de modélisation. Elle est certes floue et comporte des zones d'ombre, mais des tendances fortes apparaissent. Des températures plus élevées, surtout sur les continents ; davantage de pluies, mais inégalement réparties ; plus d'événements extrêmes tels que sécheresses, inondations, vagues de froid ou de chaleur, tempêtes. De plus, on ne peut exclure qu'en franchissant quelque seuil invisible nous provoquions une accélération brutale des processus à l'œuvre, à laquelle il serait bien plus difficile de s'adapter.

La partie visible de la pollution atmosphérique (ici à Los Angeles) séjourne peu dans l'air : elle sera lessivée à la première pluie. En revanche, les gaz à effet de serre, invisibles, persistent pendant des décennies, voire des siècles.

Quel climat demain ?

Les températures en hausse

L'élévation de la température du globe, à l'ampleur encore incertaine, ne sera pas uniforme. Elle variera selon le lieu, la saison, et selon d'autres facteurs à présent bien connus.

Un changement d'ère climatique

L'élévation planétaire de la température que nous annonce le GIEC se situera, à l'horizon 2100, quelque part entre 1,1 et 6,4 °C (3 °C étant le plus probable) par rapport à la décennie 1990. Cette augmentation a déjà été de 0,6 °C au cours du XXe siècle. De tels chiffres peuvent sembler faibles au lecteur peu averti. Mais, pour donner un point de comparaison, rappelons que lors du dernier épisode glaciaire, il y a environ 18000 ans, le climat n'était que de 5 °C plus froid qu'aujourd'hui. Pourtant, à cette époque, les calottes glaciaires descendaient jusqu'à la Belgique, et l'Europe était couverte d'une steppe froide, parcourue de troupeaux de rennes, qui atteignait la Méditerranée. C'est donc un véritable changement d'ère climatique que les chiffres du GIEC annoncent pour le siècle à venir.

Des effets différenciés

Ces chiffres concernent la température moyenne du globe (actuellement située autour de 15 °C). Mais l'élévation annoncée ne sera pas uniformément répartie, et aura donc des manifestations locales variées.
Les continents se réchaufferont plus vite que les océans, car ces derniers ont une inertie thermique beaucoup plus forte.
Cela implique, à l'inverse, que les océans, une fois que leur température aura augmenté, chaufferont l'atmosphère – même si les gaz à effet de serre se sont entre-temps raréfiés dans l'air ! Les latitudes élevées se réchaufferont plus vite que la zone intertropicale, et c'est aux pôles que la température s'élèvera le plus. L'effet de serre naturel est plus faible dans les régions froides, parce

À quelques exceptions près, on observe un recul mondial et rapide des glaciers, provoqué par le réchauffement : cela concerne aussi bien l'Alaska (notre photo) que les Alpes ou l'Himalaya.

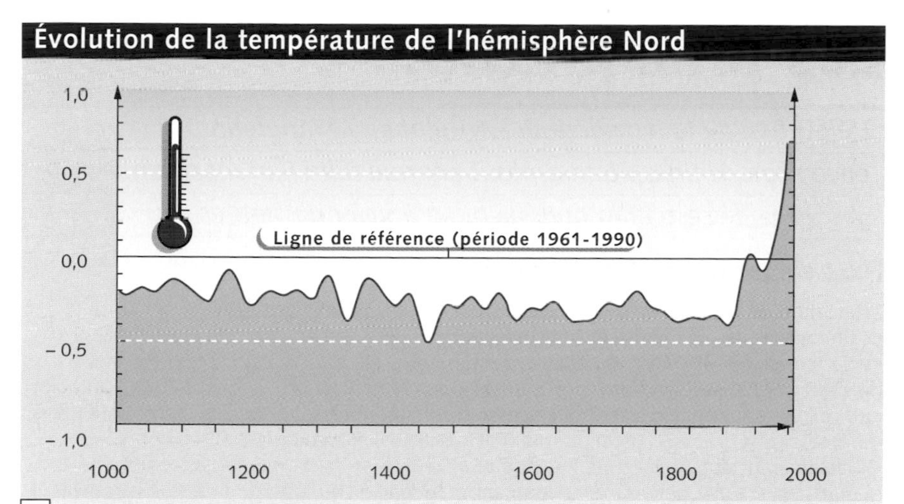

Moyenne des températures de l'hémisphère Nord, reconstituée depuis l'an mille à partir de données diverses (cernes d'arbres, carottages de glace et événements historiques) pour la période 1000-1980, complétées de mesures directes pour la période 1902-1999. L'augmentation rapide à partir de 1900 est bien visible.

qu'il y a moins de vapeur d'eau. Celui provoqué par l'homme y a donc des conséquences plus importantes, car il réchauffe une zone géographique habituellement peu touchée par ce phénomène.

Un réchauffement appelé à durer

On peut donc tout à fait s'attendre à des hausses de 3 à 5 °C en Europe et en Amérique du Nord, et de 2 à 4 °C en Amérique du Sud, en Afrique, en Asie et en Australie. Les niveaux de température de l'été 2003, qui avaient tué 30 000 personnes en Europe, devraient revenir en moyenne tous les 3 ans d'ici à 2070, et même être en dessous de la moyenne en 2100. Quant aux régions septentrionales de la Sibérie et du Canada, l'élévation pourrait se situer à 10 °C, ce qui est énorme. Il faut souligner que, si les projections des scientifiques s'arrêtent généralement en 2100, le réchauffement, lui, continuera (rappelons que la longévité atmosphérique du dioxyde de carbone est voisine de deux siècles). La hausse au XXIIe siècle devrait se situer entre 50 et 90 % de ce qu'elle aura été au XXIe.

Des scénarios multiples

On s'étonnera peut-être de l'important écart de la fourchette climatique (1,4 à 5,8 °C) donnée par le GIEC. En fait, l'incertitude réside pour beaucoup dans les choix que fera l'humanité. Pour tenter d'explorer les conséquences de ces choix, les modélisateurs ont bâti une quarantaine de scénarios, répartis en 4 grandes familles. Ils ont fait varier la population mondiale, l'étendue des forêts, le nombre de centrales nucléaires, les efforts de réduction des émissions, la croissance, etc. Les scénarios les plus favorables prennent pour hypothèse une économie produisant moins de carbone et une population mondiale maîtrisée, tandis que les plus catastrophistes imaginent la simple prolongation des tendances actuelles...

Les précipitations

L'élévation de la température augmentera l'évaporation, et générera davantage de précipitations, tout en modifiant leur répartition. Les inégalités actuelles pourraient se trouver renforcées...

Plus de pluie... en moyenne

L'évolution de la pluviométrie semble plus difficile à prévoir que celle des températures : les divergences entre les modèles sont en effet plus fortes ici. Cette incertitude est bien regrettable, car le niveau des précipitations a un impact plus fort sur les sociétés humaines que celui des températures : la quantité de pluie détermine la production agricole, l'approvisionnement en eau potable, et le niveau de différents risques (crues, incendies de forêt, érosion, glissements de terrain...). Globalement, le cycle de l'eau devrait être intensifié par la hausse des températures, ce qui provoquera une plus grande évaporation... donc davantage de pluies, contrairement à un préjugé répandu assimilant chaleur et sécheresse. Les modèles associent approximativement une augmentation de la pluviométrie de 3 % à chaque degré

L'agriculture d'une bonne partie des États-Unis (au Texas notamment, ci-dessus) repose sur un immense aquifère fossile, qui finira par s'épuiser et rendra le pays le plus riche du monde très vulnérable à un éventuel déficit pluvial.

centigrade de réchauffement. Mais la répartition des pluies dans l'espace et dans le temps va évoluer, ce qui nécessitera une adaptation – nécessairement coûteuse – de la part des sociétés humaines.

Une aggravation des inégalités

Les précipitations devraient être plus abondantes vers 60 ° de latitude nord (extrême nord de l'Europe et du continent américain). Les précipitations estivales sur l'Asie du Sud (la mousson) augmenteraient également. Par contre, il se produirait un net assèchement en période estivale dans le bassin méditerranéen, notamment en Espagne, au Portugal, en Italie, au sud de la France et dans la région balkanique. L'Australie s'assécherait également, ainsi que (avec plus d'incertitude) la partie centrale des grands continents et le sud de l'Afrique. Si tout cela se confirme (il y a encore des contradictions dans les projections), on irait vers une situation qui aggraverait dans une large mesure les inégalités pluviométriques de la planète actuelle : les zones arides le seraient encore plus, alors que les régions déjà bien arrosées gagneraient davantage d'eau...

Les inondations d'août 2002 en Europe (ici en Allemagne), qui ne peuvent être attribuées avec certitude au réchauffement climatique, sont en tout cas compatibles avec les prévisions des climatologues.

Les répartitions saisonnières encore mal connues

De grands équilibres perturbés

Il existe plusieurs phénomènes climatiques de grande ampleur résultant d'équilibres plus ou moins variables. Le plus connu d'entre eux est *El Niño*, qui se traduit périodiquement par une pluviométrie inhabituelle en Équateur et au Pérou, accompagnée d'une sécheresse en Indonésie et en Australie. La mousson asiatique, elle, provoque d'impressionnantes pluies chaque année à la même période, mais avec des années mieux arrosées que d'autres. L'oscillation nord-atlantique (un déplacement cyclique d'air océanique) influence les hivers de l'Europe du Nord-Ouest. Les chercheurs pensent que le réchauffement global risque de déplacer ces équilibres, changeant la fréquence ou l'ampleur de ces phénomènes : ainsi, *El Niño* est plus intense depuis 1970, et il survient plus souvent.

Les données sur l'évolution récente des précipitations semblent en tout cas confirmer ces tendances.
Le XXe siècle a vu les pluies diminuer dans les pays du pourtour méditerranéen ainsi que dans les régions intertropicales. À l'inverse, le nord de l'Europe et de l'Amérique est devenu plus arrosé...
Toutefois, l'image qui se dessine est pour l'instant assez floue, car les données sur la répartition annuelle de ces précipitations sont récentes. Or il est important de savoir si le déficit de pluie a eu lieu en été, lorsque les températures sont élevées et que la pluie a le plus d'importance pour la végétation, ou bien en hiver, saison pendant laquelle quelques millimètres par an peuvent être sans conséquences.

Plus d'événements extrêmes ?

Les phénomènes météorologiques extrêmes pourraient devenir plus fréquents dans une atmosphère globalement plus instable. Mais la prédiction s'avère difficile en ce domaine.

Plus d'écarts à la moyenne

L'accroissement en nombre et en intensité des phénomènes météorologiques extrêmes est une des conséquences potentiellement les plus préoccupantes du réchauffement climatique. Si la température d'une région s'élève de 2 °C ou que sa pluviométrie augmente de 10 %, cela entraîne mécaniquement un nombre plus élevé d'épisodes de canicule ou de pluies diluviennes, stressants à la fois pour les êtres humains et pour les écosystèmes. Mais, en outre, la quasi-totalité des modèles annonce que cela sera encore aggravé par le nombre plus élevé d'écarts à la moyenne, autrement dit par ces événements exceptionnellement intenses. En effet, en introduisant davantage d'énergie dans l'atmosphère, le réchauffement risque de rendre celle-ci encore plus turbulente, par un mécanisme analogue à celui qui accélère les mouvements d'un liquide chauffé dans une casserole.

LEXIQUE

[Pluviométrie] Répartition des pluies dans l'espace et le temps.

Sécheresses et inondations

C'est notamment en matière de pluviométrie que des changements importants pourraient avoir lieu. Il semble bien en effet que l'augmentation des températures provoquera davantage d'épisodes orageux et de pluies intenses. Ainsi, un modèle australien a calculé, en tablant sur le doublement du CO_2 atmosphérique (prévu environ en 2070), que, à la latitude de 40° N, le nombre de jours de pluie intense (avec plus de 25 mm) allait au moins doubler, alors que les jours de pluie avec moins de 12,8 mm décroîtraient. En Europe centrale, la fréquence du retour de pluies extrêmes serait divisée par 5 (autrement dit, des pluies qui actuellement reviennent en moyenne tous les 50 ans s'observeraient tous les 10 ans). Un résultat analogue a été obtenu au cours d'une autre étude pour la plupart des grands bassins fluviaux du monde ! D'autres travaux indiquent que, pour des régions comme l'Europe du Sud où la pluviométrie estivale devrait décroître d'environ 20 %, la baisse prendra la forme d'un nombre plus élevé de jours sans pluie, ce qui, combiné à la hausse de température annoncée, réunit tous les ingrédients pour de graves sécheresses.

Des tempêtes plus intenses ?

En ce qui concerne les tempêtes tropicales, ou cyclones, les modèles peinent à les représenter, car elles prennent naissance dans des surfaces bien plus petites que

les mailles des modèles actuels. En principe, leur énergie est directement proportionnelle à la quantité d'eau évaporée, donc étroitement liée à la température de l'air et de l'océan. On sait en particulier que l'eau de mer doit atteindre une température de 27 °C avant qu'un cyclone puisse apparaître. La zone favorable à ce phénomène va donc connaître une nette expansion. Mais la formation de cyclones dépend aussi des conditions météorologiques générales, et leur fréquence future échappe encore aux prévisions. Les 50 dernières années, par exemple, ne semblent pas s'être accompagnées d'un accroissement de leur nombre, malgré un perceptible réchauffement.
En revanche, les scientifiques pensent que la vitesse des pointes de vent de ces ouragans devrait augmenter de 5 à 10 % en cas de doublement du carbone dans l'atmosphère, et l'intensité des précipitations de 20 à 30 %. Cela annonce des dégâts potentiels très élevés, car la relation entre dégâts et vitesse du vent n'est pas linéaire mais logarithmique. On s'attend par ailleurs à des tempêtes plus fréquentes aux latitudes moyennes, notamment sur les côtes, comme celle de l'Atlantique. Ici aussi, l'énergie potentielle provenant d'une évaporation accrue pourrait servir de moteur. De plus, l'écart thermique entre un océan à la température quasi stable et des continents se réchauffant rapidement va inévitablement s'accroître… Or c'est cet écart qui est à l'origine des épisodes orageux.

L'énorme énergie emmagasinée dans les cyclones tropicaux (ici l'ouragan Linda au large de la Californie en 1997) devrait s'accroître encore sous l'effet du réchauffement.

La montée des eaux

Le niveau des océans s'élèvera sans doute d'une cinquantaine de centimètres d'ici à la fin du siècle... une hausse beaucoup plus importante si les calottes polaires se disloquent.

Calottes glaciaires et océans : une inertie considérable

Lorsque, il y a 18 000 ans, la dernière glaciation atteignait son apogée, l'océan mondial était 120 m en dessous de son niveau actuel – l'Angleterre, par exemple, n'était pas une île ! Il y a en effet un rapport étroit entre température du globe et niveau de la mer, dû à deux phénomènes. Le premier est que la chaleur dilate l'eau.
Cet effet thermique direct est responsable d'une bonne part de la hausse observée jusqu'à présent (environ 15 cm au cours du siècle écoulé), et le sera aussi de la montée des prochaines décennies (hausse estimée à 50 cm à l'horizon 2100).
Le second phénomène est la fonte des glaciers, et surtout des calottes glaciaires, qu'il ne faut pas confondre avec la banquise. La banquise est constituée de glaces flottantes, qui ne dépassent jamais 3 m d'épaisseur : leur fonte n'a pas d'incidence sur le niveau marin (à la façon du glaçon plongé dans un verre d'eau, qui n'augmente pas

La hausse du niveau des mers

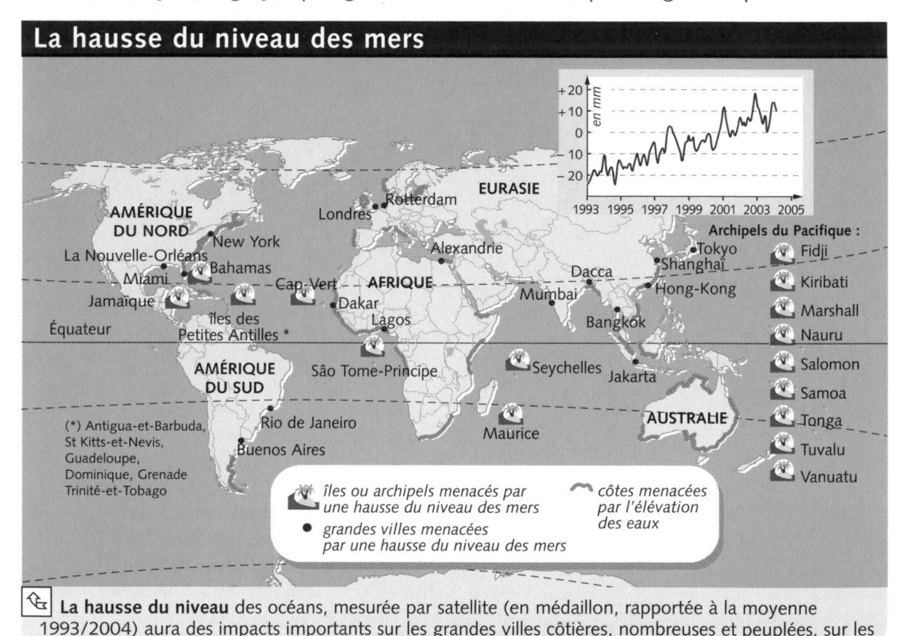

La hausse du niveau des océans, mesurée par satellite (en médaillon, rapportée à la moyenne 1993/2004) aura des impacts importants sur les grandes villes côtières, nombreuses et peuplées, sur les archipels, sur les littoraux peu profonds (deltas) ou bien sensibles à l'érosion (falaises, plages...).

le niveau de l'eau en fondant car il a déplacé son propre volume d'eau en flottant). Il faut toutefois noter que la banquise arctique a en un siècle perdu 15 % de sa surface et 40 % de son épaisseur. En revanche, les calottes sont constituées de glace accumulée sur les terres (du Groenland et de l'Antarctique principalement). Leur épaisseur peut atteindre plusieurs kilomètres : elles emprisonnent donc d'énormes masses d'eau, dont la libération pourrait en théorie élever la mer de plusieurs dizaines de mètres. Or, il apparaît depuis environ 5 ans que, par endroits, ces colosses semblent glisser de plus en plus vite vers la mer, un phénomène encore très mal compris (il s'agit peut-être d'une variation cyclique naturelle). Mais, si les choses se confirmaient, voire s'accéléraient comme certains scientifiques le prédisent, la mer pourrait monter de plusieurs mètres au cours du XXIe siècle – provoquant des dommages catastrophiques.

L'île Fongafale, capitale de l'archipel des Tuvalu (11 000 habitants), fait partie des premières terres que le réchauffement climatique fera disparaître.

Des conséquences près des côtes

Quoi qu'il en soit, même une hausse de 50 cm ne serait pas sans conséquences. Environ la moitié de l'humanité vit au bord d'une mer ou d'un océan. Les deltas densément peuplés comme celui du Gange (au Bangladesh) ou celui du Nil (en Égypte) vont donc être durement frappés. Non seulement la montée des eaux chassera des millions d'habitants de ces terres, mais elle réduira notablement la production agricole locale. Et ce d'autant plus que l'eau salée s'infiltrera dans les nappes phréatiques bien au-delà de la zone inondée.

Enfin, les dégâts causés par les tempêtes marines et les inondations qu'elles génèrent, même si on suppose que leur intensité reste égale, seront considérablement aggravés en cas de hausse du niveau de la mer.

Une étude portant sur le littoral des Pays-Bas a ainsi montré que l'eau submergerait les digues non plus une fois tous les 500 ans, mais une fois tous les 80 ans. Une autre étude, financée par la ville de New York, a établi que les crues, actuellement centennales, reviendraient en 2080 tous les 4 ans, selon le scénario le plus pessimiste ! Le coût des dégâts à l'échelle mondiale risque d'être astronomique : en effet, 16 des 20 mégapoles de la planète sont situées en bord de mer…

Îles et atolls

Il existe beaucoup de petites îles dans les archipels (Maldives dans l'océan Indien ou Marshall dans le Pacifique) qui seraient menacées de disparition par une hausse du niveau de la mer, même modeste. En ce qui concerne les atolls coralliens, les scientifiques pensent qu'ils parviendraient à s'adapter par leur propre croissance à la montée des eaux si celle-ci ne dépasse pas 50 cm par siècle. Au-delà de ce rythme, le doute est permis.

Les scénarios catastrophe

L'évolution progressive du climat décrite par le GIEC pour les prochaines décennies pourrait être nettement accélérée par plusieurs phénomènes encore mal évalués.

Vers un emballement de la machine climatique ?

Les scénarios du GIEC sont davantage à prendre comme une illustration de l'état actuel des connaissances que comme de véritables pronostics : nous avons en effet d'ores et déjà atteint des concentrations en dioxyde de carbone sans précédent depuis au moins un million d'années. Des surprises et des basculements ne sont donc pas à exclure.
En particulier, il existe un certain nombre de « scénarios catastrophe » qui sont parfaitement envisageables, même si, pour l'instant, nos connaissances ne nous permettent pas vraiment de leur attribuer une probabilité. La plupart reposent sur des phénomènes de « rétroaction positive » : autrement dit des processus s'aggravant eux-mêmes, et par là même susceptibles de provoquer un emballement de la machine climatique, si rapide et si intense qu'il compromettrait toute possibilité d'adaptation.

Un océan saturé ?

Ainsi, il est possible que, passé un certain seuil, les actuels « puits de carbone » – c'est-à-dire les processus qui retirent du CO_2 de l'atmosphère – se transforment en émetteurs de carbone, ou, du moins, voient leur efficacité fortement réduite.
C'est le cas de l'océan, notamment, qui a pour l'instant l'obligeance de faire disparaître 48 % des émissions humaines.
En effet, le réchauffement climatique pourrait contribuer à stratifier l'océan, c'est-à-dire à réduire le brassage entre ses eaux superficielles et ses eaux profondes. Or, c'est ce brassage qui permet d'emmener loin de l'atmosphère le CO_2 dissous. Son interruption serait donc catastrophique. Et puis, ne l'oublions pas, la physique nous enseigne qu'une eau plus chaude contient moins de gaz dissous, une règle à laquelle le gaz carbonique n'échappe pas... Déjà, des études relèvent une baisse de 6 % de l'absorption du CO_2 par la mer au cours des 20 dernières années, et plusieurs modèles annoncent que c'est une tendance durable. On peut également envisager que les écosystèmes océaniques, notamment le plancton, ne parviennent plus aussi bien qu'auparavant à absorber le carbone.

LEXIQUE

[Écosystème]
Ensemble constitué par un milieu (le biotope) et tous les organismes vivants qui en dépendent.

Le problème des forêts

Des interrogations analogues portent sur les écosystèmes terrestres. Les forêts stockent aussi, chaque année, d'importantes quantités de carbone. Une des raisons est qu'elles connaissent depuis plusieurs décennies une période de forte productivité, probablement parce que l'excès de CO_2 agit sur la végétation comme un fertilisant gazeux.
Mais cette croissance pourrait finir par s'interrompre, voire se muer en décroissance

Si la première fiction hollywoodienne *(le Jour d'après)* consacrée au réchauffement global donne souvent dans l'excès, il reste que les scientifiques n'excluent pas des scénarios catastrophiques en cas d'emballement climatique.

La circulation thermohaline

De nombreux phénomènes climatiques sont régis par des effets de seuil. L'un d'entre eux a été popularisé (même si c'est d'une façon scientifiquement inexacte) par le film *le Jour d'après* : il s'agit de l'arrêt du courant marin d'eau profonde (la circulation thermohaline) qui redistribue vers le Sud les eaux glacées de la région arctique.
Son arrêt (ou son ralentissement brutal) provoquerait un effondrement des températures dans toute l'Europe du Nord-Ouest, et diverses perturbations au-delà, modifiant tous les pronostics régionaux de réchauffement.
Or, ce courant est alimenté par un phénomène particulier à l'Atlantique nord : la plongée vers les profondeurs de masses d'eau considérables, plongée qui crée une sorte d'aspiration faisant office de moteur.
Ce mouvement s'explique par le caractère très froid et très salé des eaux de cette région, qui les rend plus denses que l'océan environnant.
Or à mesure que le réchauffement des pôles se poursuivra, la température de l'eau va s'élever. En outre, la région recueillera beaucoup de pluies et subira aussi la fonte d'une partie de ses glaces. Ces phénomènes devraient arrêter mécaniquement la plongée des eaux.
Mais nous sommes encore incapables de dire combien de temps au juste il faudrait pour en arriver là. La plupart des spécialistes pensent que c'est improbable avant 2100..., sans en être certains.

Les courants froids et chauds des océans

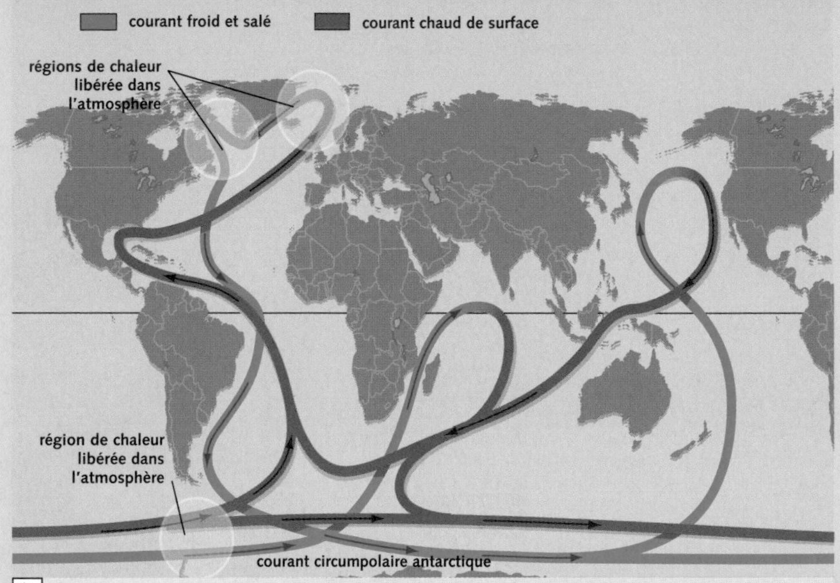

L'océan se comporte à la façon d'un gigantesque convecteur : la circulation thermohaline transfère la chaleur des zones équatoriales vers les pôles. Les eaux chaudes se déplacent en surface, se refroidissent dans les hautes latitudes et s'enfoncent en profondeur au niveau des points de convergence (Arctique, Antarctique) ; elles se transforment en un courant froid de fond, qui emprunte le trajet inverse.

LEXIQUE

[Effet de seuil]
Capacité qu'ont certains systèmes à changer radicalement d'état, d'une façon généralement peu réversible, à partir d'une modification infime des conditions initiales.

[Permafrost]
Partie profonde d'un sol soumis au gel (gélisol), minérale et gelée en permanence (*syn.* : pergélisol).

si par exemple l'aridité de certaines régions gênait l'absorption végétale et favorisait les incendies. Une telle évolution est annoncée comme probable avant 2100 si aucune réduction d'émissions n'est entreprise.

Le danger des clathrates

D'autres dangers ont été identifiés. L'un des plus préoccupants vient d'étranges hydrocarbures, les clathrates (ou hydrates de méthane), qui sont des mélanges de méthane et d'eau, formés à basse température et à haute pression. Les clathrates sont stockés dans les sols gelés en permanence (le permafrost) et dans des sédiments marins profonds. L'abondance de ces hydrates est colossale : à l'échelon planétaire, ils représentent deux fois plus de carbone que celui qui est stocké dans les combustibles fossiles. Si, par exemple, le permafrost se réchauffait, la fusion des clathrates libérerait du méthane, un gaz à effet de serre bien plus puissant que le CO_2.
Pour l'instant, personne n'est capable de dire à quel degré de réchauffement climatique la fusion des clathrates débuterait, ni par quels gisements (continentaux ? océaniques ?) le processus commencerait. Mais il est certain que le réchauffement des océans et des continents en augmente le risque, et les archives sédimentaires semblent indiquer que le phénomène s'est déjà produit.

Un système instable qu'il est dangereux de perturber

Si l'ensemble des phénomènes que nous venons de décrire est entaché d'incertitudes, il faut néanmoins retenir que le climat est un système complexe et instable, soumis à de nombreux effets de seuil pour l'instant imprédictibles.
Pour autant, depuis environ 10 000 ans, il est resté remarquablement constant, et cela a largement été avantageux à notre espèce, puisqu'elle en a profité pour coloniser l'ensemble de la planète. Plus nous y introduirons d'éléments perturbateurs, plus nous courrons le risque d'un basculement – c'est un peu comme si nous décidions de nous lever et de nous agiter en tous sens à bord d'un canoë instable sans avoir jamais manié un tel engin...

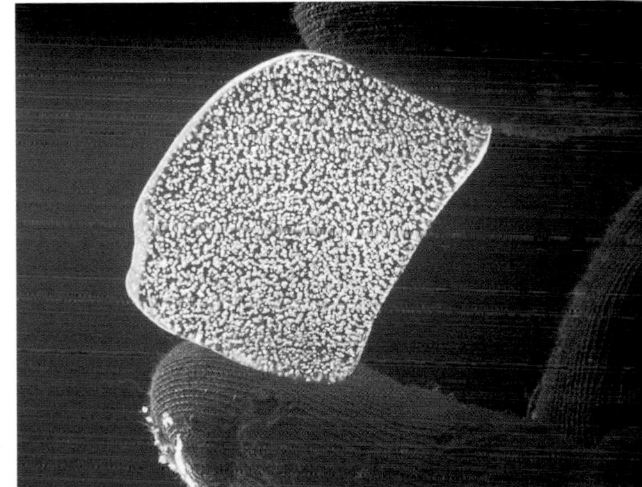

Les bulles d'air piégées dans ce fragment d'une carotte de glace nous donnent la composition atmosphérique de l'année 1819, année où celle-ci s'est formée.

Nos sociétés sont étroitement adaptées aux climats : architecture, agriculture, comportements, réseaux de transport et d'énergie ont été optimisés pour faire face à un certain environnement. Si celui-ci vient à changer, d'innombrables ajustements deviendront nécessaires. Or l'adaptation à des conditions nouvelles, surtout mal connues, est un processus coûteux, avec des essais et des échecs. Des climatologues de renom ont émis l'hypothèse que c'est grâce à l'exceptionnelle période de stabilité climatique des 8000 dernières années que les civilisations humaines ont pu surgir. Mais comment ces civilisations vont-elles résister aux possibles conditions changeantes de l'avenir ?

Ce sont les populations les plus fragiles de la planète, comme cette paysanne du Bangladesh, qui subiront le plus cruellement les conséquences climatiques liées au mode de vie des pays riches.

Les impacts sur l'homme

Vers le naufrage des écosystèmes ?

Il est difficile de dire comment la vague d'extinction provoquée par le réchauffement climatique modifiera les services que nous rendent les milieux naturels.

Une nature très généreuse

On sous-estime généralement les services rendus aux sociétés humaines par les milieux naturels, tout simplement parce que ces services sont gratuits. Ainsi, les écosystèmes océaniques nous fournissent chaque année environ 80 millions de tonnes de poisson ; des milliards de micro-organismes recyclent nos déchets organiques en nutriments assimilables par les plantes ; forêts et prairies retiennent les sols et l'eau, nous protégeant des inondations, des glissements de terrain et de l'érosion ; des êtres vivants synthétisent d'innombrables molécules nécessaires à notre industrie. Si les écosystèmes régressent et que le vivant se réduit en diversité, leur capacité à nous rendre ces services s'affaiblira inéluctablement, et ce sont les êtres humains qui en feront les frais.

Des écosystèmes en plein bouleversement

Or les écosystèmes sont d'ores et déjà soumis à rude épreuve. Les biologistes s'accordent à considérer que nous sommes entrés dans une période d'extinction des espèces vivantes, dont le rythme est d'au moins 100 fois supérieur à la normale. Certes, dans cette situation, l'effet du climat est pour l'instant marginal. Mais nous n'avons encore été confrontés qu'à une fraction modeste du réchauffement attendu.
Et, pourtant, ses effets sont déjà considérables : en 2001, le GIEC ne disposait que de 21 articles attestant de modifications liées au climat dans les écosystèmes. Début 2005, les experts en recensaient plus de 1 000 !

Des espèces qui se déplacent

Le vivant est déjà entré dans une ère de bouleversements : on suppose qu'environ 50 % des espèces ont modifié leur aire de répartition ou leurs rythmes biologiques au cours des dernières décennies (étude parue dans *Nature*), et, dans la majorité des cas, ces changements sont en relation avec le réchauffement. Par exemple, beaucoup d'espèces s'observent aujourd'hui à des lati-

Extinctions et spéciations

Ordinairement, dans la nature, les périodes d'extinction accélérées sont suivies de périodes de spéciation (apparition de nouvelles espèces) au cours desquelles le vivant reconstitue, et même accroît généralement, sa diversité. La période que nous vivons ne fera sans doute pas exception à la règle. Le problème, pour l'homme, est celui du rythme de ces processus.
Car les extinctions menacent de survenir en quelques décennies, alors que la spéciation est, dans son ensemble, un processus s'étalant au moins sur des millénaires.
Or, ce qui est en jeu pour nous, c'est le sort des toutes prochaines générations !

Le développement explosif de l'algue *Caulerpa taxifolia* (comme celui d'autres organismes tropicaux) en Méditerranée est favorisé par le réchauffement climatique.

tudes plus élevées qu'auparavant. Cela est vrai sur les continents comme dans les océans. Ainsi, de nombreuses espèces tropicales sont en train de s'acclimater en mer Méditerranée : la plus célèbre est l'envahissante algue *Caulerpa taxifolia*, qui colonise déjà les eaux d'une demi-douzaine de pays ; mais c'est aussi le cas de poissons ou de mollusques. Une étude, basée sur 39 espèces de papillons européens et nord-américains, a démontré une progression globale vers le nord, en 23 ans (200 km pour certaines espèces). Plus impressionnant encore, 12 espèces d'oiseaux britanniques ont progressé vers le nord de 18,9 km par an en moyenne sur les dernières 20 années. On signale aussi que certaines plantes sont en train de disparaître du sud de l'Europe et que l'on assiste à une montée en altitude des écosystèmes de montagne, aussi bien dans les Alpes qu'en Asie (Japon notamment). En même temps, les espèces s'adaptent en modifiant leurs rythmes biologiques. La germination et la floraison sont déjà anticipées de 5 jours en moyenne à l'échelle de la planète. De même, une partie des oiseaux migrateurs quitte les lieux d'hivernage de plus en plus tôt. Ces modifications touchent l'ensemble du vivant, depuis les êtres unicellulaires jusqu'aux mammifères, en passant par les invertébrés ou les plantes.

Trouver une place sur terre

Il n'est pas toujours possible à une espèce de migrer pour retrouver des conditions de vie compatibles avec sa biologie. L'homme a en effet considérablement fragmenté les milieux naturels, érigeant toutes sortes de barrières (villes, voies de communication, zones d'agriculture intensive...).
Par exemple, il peut s'avérer impossible pour une espèce de mollusque menacée par la sécheresse de gagner un milieu plus favorable éloigné de dizaines de kilomètres. Pour certains animaux, il n'y aura d'ailleurs plus de milieux favorables nulle part sur terre. Ainsi, une hausse de température de 2 °C provoquerait la disparition complète des glaces arctiques en été, ce qui détruirait tout un écosystème, dont l'ours polaire est l'emblème. On pense également qu'une telle hausse provoquerait le dépérissement de 97 % des coraux de la planète, car ce sont des organismes très sensibles sur le plan thermique. Elle porterait aussi un coup sévère aux poissons inféodés aux eaux fraîches : 50 % des salmonidés (truites, saumons...) américains n'y survivraient pas, et le chiffre serait sans doute le même pour l'Europe.
Et puis, il ne faut pas oublier que les écosystèmes sont faits d'ajustements fins des espèces entre elles. La plupart des insectes, par exemple, éclosent au moment où leur ressource alimentaire est abondante, qu'il s'agisse de pollen, de jeunes feuilles, de fruits... Si la floraison est anticipée de 15 jours, cela peut être lourd de conséquences pour eux ! Et il en va de même pour les oiseaux dont le retour de migration est ajusté à la présence de ces mêmes insectes.

En bordure des côtes

Les mangroves et les autres zones humides côtières occupent actuellement environ 1 million de km² dans le monde. Ce sont des zones dont la productivité biologique est très élevée et qui jouent notamment un rôle clé dans la reproduction des organismes marins : plus des 2/3 des poissons consommés par l'homme les fréquentent à un moment de leur cycle de vie. Ces espaces subissent dès à présent une pression humaine considérable. Mais la hausse du niveau de la mer induite par le réchauffement pourrait bien, en les noyant, excéder leurs capacités naturelles d'adaptation. Cela aurait un impact redoutable sur l'écosystème océanique.

Des seuils critiques relativement bas

Existe-t-il un seuil de réchauffement à partir duquel la capacité des écosystèmes à nous nourrir, à éliminer nos déchets, à stocker notre carbone, à filtrer notre eau, etc., sera compromise ? Deux degrés supplémentaires, on l'a vu, suffiraient à générer de très importants changements. Trois degrés provoqueraient, entre autres, la perte de 60 % des espèces méditerranéennes, ou de la quasi-totalité des écosystèmes de montagne. Mais il y a aussi la question du rythme : 50 % des écosystèmes sont capables de s'adapter à un réchauffement de 0,1 °C par décennie, mais seulement 30 % résisteront à 0,3 °C (autrement dit, à + 3 °C par siècle). Enfin, si, par malheur, nous devions atteindre 0,4 °C, tous les écosystèmes se détérioreraient rapidement, dominés par un nombre limité d'espèces agressives et opportunistes : un tel scénario provoquerait sans doute de plus une importante libération de carbone, les écosystèmes « pauvres » contenant généralement moins de matière organique que ceux qui sont très diversifiés.

LEXIQUE

[Mangrove]
Forêt amphibie à palétuviers, qui se développe sur le littoral des côtes vaseuses dans les régions tropicales.
[Inféodé(e)]
Se dit d'une espèce adaptée à un cadre de vie spécifique.
[Opportuniste]
Se dit en particulier d'une espèce qui s'adapte bien aux circonstances du moment.

La mise en place de barrières infranchissables pour la faune et la flore (par exemple par la construction d'infrastructures de transports) fragilise les écosystèmes, en empêchant la circulation des individus et les échanges génétiques qui permettent aux espèces de résister.

Changement climatique et santé

L'adoucissement des hivers ne compensera pas les dégâts des maladies infectieuses en expansion, des canicules ou encore des sécheresses, des tempêtes et des inondations...

Une prévision sanitaire difficile

Dans l'Antiquité déjà, les Romains savaient qu'il fallait passer l'été dans les montagnes pour échapper aux fièvres. L'influence du climat sur la santé n'est donc pas une nouveauté. Pourtant, les conséquences sanitaires du changement climatique ne sont explorées que depuis quelques années. Les résultats ont néanmoins commencé à s'accumuler, et l'OMS (Organisation mondiale de la santé, rattachée à l'ONU) a récemment publié un volumineux rapport consacré au problème. Mais les mécanismes à l'œuvre sont difficiles à évaluer précisément. D'abord parce que la santé publique est sous la dépendance étroite de facteurs sociaux : ainsi, malgré un climat relativement proche, les habitants de la Floride et ceux d'Haïti souffrent de maladies très différentes. De plus, le changement climatique s'accompagne d'autres transformations : déforestation, modification des pratiques agricoles, urbanisation, etc. Il est donc délicat d'isoler ce qui relève du climat à proprement parler. Et puis les particularités biologiques des microbes et de leurs vecteurs sont souvent très complexes et susceptibles d'évolution.

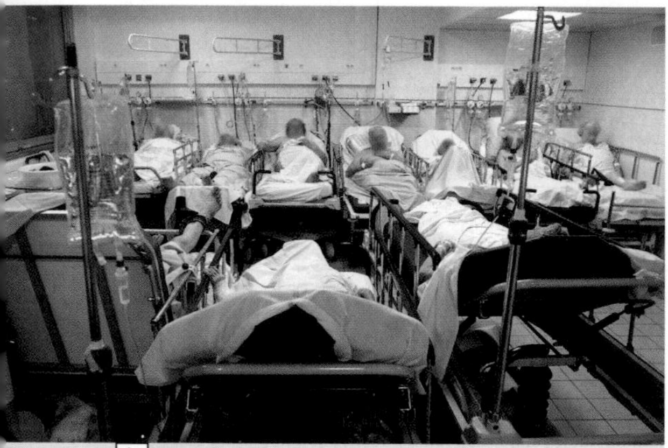

Le changement climatique nécessitera de s'adapter à des phénomènes nouveaux, aujourd'hui exceptionnels, par exemple les vagues de chaleur (ici en France en août 2003).

Mortalité : baisse en hiver, hausse en été

Beaucoup de grandes tendances ont néanmoins été identifiées. Les effets directs du réchauffement sont les plus faciles à appréhender : les épisodes de froid extrême, dans les zones tempérées, vont se raréfier, provoquant probablement un abaissement de la mortalité hivernale. À l'inverse, l'augmentation de la fréquence des canicules, ainsi que l'élévation de la moyenne des températures, induira une surmortalité.

Le risque paludique dans le monde

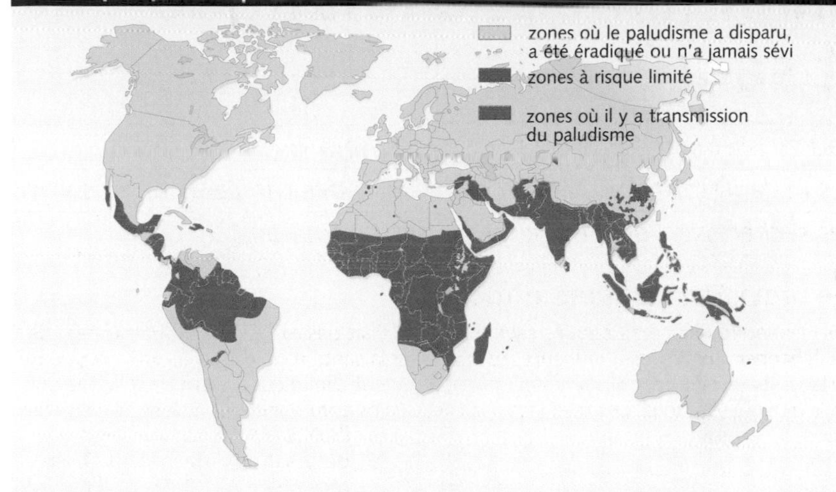

Le paludisme affecte 1 milliard d'êtres humains et tue 1 million de personnes par an ; les spécialistes pensent que la zone de risque est appelée à s'étendre avec le réchauffement climatique.

Par exemple, l'exceptionnelle vague de chaleur de l'été 2003, qui avait fait 30000 morts en Europe, représentera en 2050 un événement très proche de la moyenne.

Les conséquences de ces deux tendances (plus de canicules, moins de vagues de froid), en termes de mortalité, pourraient plus ou moins s'équilibrer aux latitudes moyennes.

Une consommation d'eaux contaminées en hausse

En revanche, l'augmentation annoncée des phénomènes extrêmes n'aura que des conséquences dommageables pour la santé humaine. Ce sont particulièrement les maladies liées au cycle de l'eau qui causent des soucis aux climatologues : en effet, la consommation d'eaux contaminées caractérise à la fois les épisodes de sécheresse et les épisodes d'inondations, ainsi que les suites d'ouragans... autant de fléaux sans doute appelés à augmenter. Cette consommation expose les populations à de nombreuses maladies infectieuses, notamment des

Ozone et santé

La raréfaction de la couche d'ozone est un phénomène distinct du réchauffement climatique. C'est néanmoins une modification de l'atmosphère qui résulte des émissions humaines, et les spécialistes pensent qu'elle perdurera encore plusieurs décennies. L'ozone stratosphérique, actuellement quelque 30 % en dessous de ses niveaux préindustriels, filtre les rayons ultraviolets en provenance du soleil, des rayons dont les effets cancérigènes sont avérés. Il est probable que cette situation – ainsi que l'engouement pour les vacances au soleil – est responsable d'une part significative des 2 millions de cancers de la peau diagnostiqués chaque année. À quoi il faut ajouter des maladies des yeux : dans le monde, sur les 20 millions de cas de cataractes entraînant une cécité, 20 % seraient dus à un excès d'UV. Même le système immunitaire est susceptible d'être affaibli par ce rayonnement.

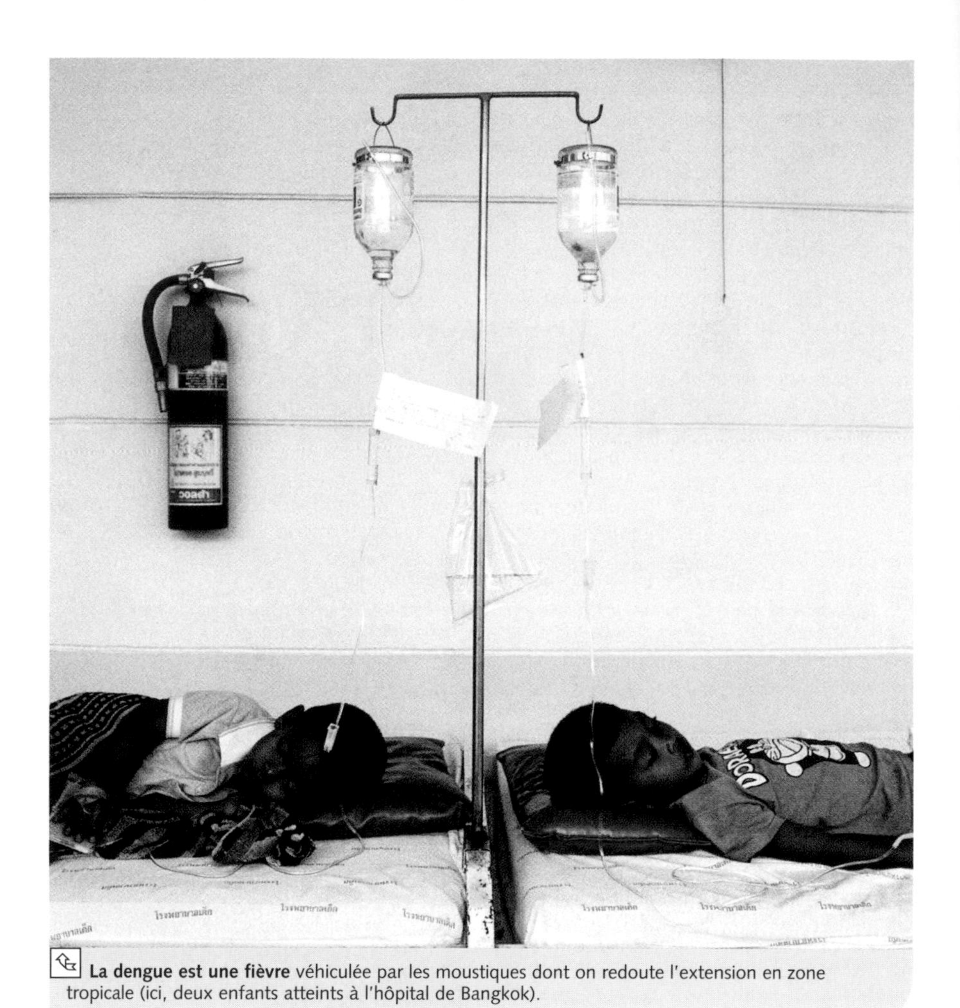

La dengue est une fièvre véhiculée par les moustiques dont on redoute l'extension en zone tropicale (ici, deux enfants atteints à l'hôpital de Bangkok).

fièvres hémorragiques de diverses sortes, et des pathologies comme le choléra, la typhoïde, la contamination par divers unicellulaires (*shigella*, *giarda*, etc.). Les inondations sont également connues pour favoriser la prolifération des rongeurs, animaux qui véhiculent un grand nombre de virus, ainsi que, entre autres, la tularémie et la leptospirose.

Les vecteurs dopés par la chaleur

En outre, les modifications de pluviométrie et de température sont déterminantes dans l'évolution du principal vecteur mondial de maladies infectieuses : le moustique.

Les quelque 200 espèces de moustiques sont associées à un nombre record de maladies d'importance mondiale. C'est le cas de la malaria, ou paludisme *(Anopheles gambiae)*, mais aussi de la dengue *(Aedes egyptii)*, de la fièvre jaune, du virus du Nil occidental, de la fièvre de la vallée du Rift, etc. Le climat est susceptible d'agir sur ces maladies en modifiant le nombre de sites de reproduction des vecteurs (multiplication ou assèchement des mares), en modifiant leur période d'activité (nombre de jours par an au-dessus de 16 °C) ou encore en changeant la virulence du pathogène lui-même. L'équation est d'autant plus complexe que l'on comprend mal pourquoi une espèce donnée de moustique prend le pas sur une autre dans certaines circonstances, voire quelles sont exactement les interactions entre le moustique et le pathogène.
De même, la tique, qui véhicule de nombreuses maladies graves, telles que la borréliose de Lyme ou certaines encéphalites, est elle aussi étroitement dépendante des conditions climatiques.
Les spécialistes s'attendent globalement à ce que, avec un accroissement de la température et des précipitations, les maladies parasitaires connaissent un certain développement. Beaucoup de modèles annoncent une recrudescence de la malaria, qui pourrait menacer quelque 200 millions de personnes supplémentaires même avec une hausse modeste de la température globale (1,3 °C d'ici à 2080).
Même si le chiffrage précis est difficile et la logique locale, complexe, une surveillance épidémiologique étroite s'impose, d'autant que le transport aérien provoque une circulation sans précédent des espèces de moustiques.

Santé et irrigation

L'aridité croissante annoncée dans nombre de pays tropicaux pourrait avoir pour conséquence le développement de dispositifs d'irrigation tels que canaux, barrages, etc. Or ces aménagements, toutes choses étant égales par ailleurs, favorisent différentes maladies liées à l'eau, notamment la schistosomiase et le paludisme. L'irrigation accroît aussi, souvent, les infections par certains vers (les helminthes), dont les larves survivent mieux sur des sols humides.

Un problème d'équité planétaire

Enfin, par son impact sur l'agriculture et plus généralement sur l'évolution des populations, le réchauffement climatique aura des conséquences sanitaires. D'abord parce que les zones les plus arides risquent de connaître des problèmes accrus de malnutrition. Et ensuite parce que des déplacements de population risquent de résulter à la fois de la montée du niveau marin, et de l'assèchement qui menace certaines régions. Or ces déplacements génèrent presque toujours de graves crises sanitaires.
Ce qui est certain, c'est que le changement climatique va poser avec une insistance croissante le problème de l'équité entre les habitants de notre planète. Déjà, en 2001, le GIEC avertissait que « dans l'ensemble, les effets des changements climatiques néfastes à la santé seront particulièrement marqués parmi les populations à faibles revenus, principalement dans les pays tropicaux et subtropicaux ».
Si 20 % de l'humanité devaient continuer à vivre avec moins d'un dollar par jour, il va sans dire que la lutte contre les dégâts sanitaires du climat serait bien mal engagée...

LEXIQUE

[Vecteur]
Se dit d'un organisme qui transmet un agent infectieux. La plupart sont invertébrés (puce, moustique, tique), mais on peut aussi rencontrer parmi eux des rongeurs et certains oiseaux.

Changement climatique et agriculture

L'agriculture mondiale va devoir s'adapter à des conditions nouvelles. Un défi particulièrement difficile pour les régions d'ores et déjà déshéritées...

Une stabilité climatique multimillénaire

C'est vraisemblablement la stabilité du climat qui a permis l'invention de l'agriculture et donc, par extension, l'apparition de toutes les civilisations humaines. Comment en effet savoir, si le climat est imprévisible, quels végétaux cultiver, quand les planter, quels animaux d'élevage sont capables de survivre, quels soins il faut leur apporter ? Toutes les techniques agricoles qui se sont transmises pendant des centaines de générations, depuis l'irrigation jusqu'à la rotation des cultures, se fondaient sur une certaine stabilité de l'environnement. Les remarquables gains de productivité de l'élevage et des cultures qui ont accompagné le développement humain durant les deux derniers siècles se sont accompagnés d'une adaptation toujours plus étroite de l'agriculture à son environnement. La nécessité de s'adapter à de nouvelles conditions, changeantes, sera sans aucun doute un immense défi pour l'agriculture de demain.

Arbres et climat

La sylviculture peut être très vulnérable à un changement de climat, du fait du temps très long qui sépare la plantation des arbres de la récolte. Cet intervalle, de 40 ans pour certaines essences à croissance rapide, peut atteindre 150 ans pour les bois durs de haute qualité. Or les évolutions climatiques, dans de tels laps de temps, pourraient être considérables. Pour l'instant, le réchauffement climatique a plutôt profité aux forestiers, qui notent une accélération de la croissance des arbres voisine de 30 % depuis quelques décennies. Mais la tendance pourrait se retourner, voire déboucher sur des pertes de récoltes spectaculaires, notamment dans les régions où l'aridité s'élèvera. Même la culture des arbres fruitiers pourrait être affectée, d'autant que certaines espèces ont besoin de passer une période de froid hivernal prononcé pour donner de bons rendements...

Des conséquences parfois positives

Le vivant constituant son matériau de base, l'agriculture est une des activités humaines qui sera le plus affectée par le changement climatique. Pas seulement en mal, d'ailleurs : on peut dès aujourd'hui estimer que certains territoires seront favorisés par les transformations en cours. « Pour un pays comme la Russie, affirmait il y a peu Vladimir Poutine, un réchauffement climatique de 2 à 3 °C pourrait être profitable. » Les spécialistes s'accordent en effet à penser qu'une hausse de 1 °C équivaut à un déplacement vers le sud d'environ 180 km. Sans doute une partie des régions froides et inhospitalières de la Sibérie ou du Canada, voire de la Scandinavie, profiteront-elles de l'adoucissement annoncé, ainsi que de l'accroissement de la pluviométrie. Il reste que la fonte du permafrost, pour l'instant, génère beaucoup de marécages dont on ignore comment ils vont évoluer. Il n'est pas exclu qu'il faille un temps assez long avant que ces territoires ne deviennent exploitables par l'homme.

Des déplacements de zones agricoles

Dans les régions tempérées, l'impact sur les cultures annoncé par les agronomes est plus contrasté. La hausse des températures est moins importante et l'évolution de la pluviométrie, incertaine. Il est possible que l'intérieur de l'Europe et de l'Amérique du Nord devienne plus aride, et que les rendements s'en ressentent, comme ce fut le cas en 2003 (voir encadré). Mais, si ce genre d'épisode chaud devient régulier, on peut penser que les agriculteurs s'adapteront et que les rendements souffriront moins. Il reste que, si les ceintures végétales se déplacent de plus de 300 km vers le nord, on risque de voir de spectaculaires transformations : qui sait si les meilleurs champagnes, en 2050, ne viendront pas d'Angleterre et de Belgique ? Plus sérieusement, on peut penser que le maïs, céréale assoiffée par nature, cédera la place en bien des endroits à des cultures plus sobres, comme le blé, voire le seigle. L'Europe du Sud suscite plus d'inquiétudes : « Les ressources en eau et l'humidité des sols diminueront l'été en Europe méridionale, ce qui contribuera à creuser l'écart entre le nord et le sud de l'Europe, sujet à la sécheresse... », peut-on lire dans le 3e rapport du GIEC.

La sécheresse est particulièrement dommageable aux céréales qui ont des besoins hydriques importants, notamment le maïs.

Un risque alimentaire en hausse au Sud

Mais ce sont encore une fois les pays tropicaux et subtropicaux qui semblent les plus menacés par l'évolution de la planète. Inondations, ouragans et sécheresses « porteront atteinte à la sécurité alimentaire de nombreux pays d'Asie aride, tropicale et tempérée », souligne le GIEC. Il annonce toutefois que « en revanche, l'agriculture se développera et deviendra plus productive dans les régions septentrionales ». Mais des milliers de kilomètres et de nombreuses frontières séparent les régions peuplées où les rendements baisseront des régions peu habitées que le sort a favorisées... L'Afrique et l'Amérique latine, dans l'état actuel de nos connaissances, risquent d'être les principales victimes des changements à venir. Des baisses de rendement non négligeables sont annoncées par le GIEC pour les principales céréales (- 25 % pour le maïs et - 20 % pour le blé à l'horizon 2070 en Afrique, - 20 % pour le maïs et - 30 % pour le blé en Amérique latine).

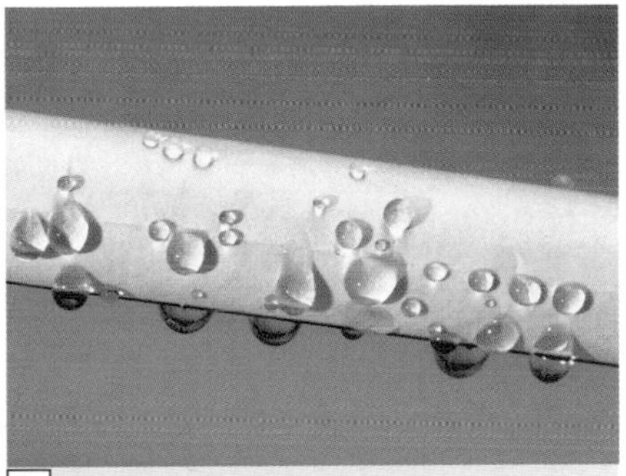

L'eau utilisée par l'humanité sert principalement à l'irrigation (à gauche). La mise au point de systèmes économes, comme la transsudation (ci-dessus), et, surtout, leur généralisation sont indispensables pour lutter contre la raréfaction de cette ressource .

L'édifiante année 2003

La canicule et la sécheresse qui ont frappé l'Europe du Centre et du Sud à l'été 2003 intéressent beaucoup les scientifiques. Ces conditions pourraient en effet être la norme en Europe dans 50 ans. Et, conformément à ce qu'annonçaient les modèles, cette année s'est soldée par une chute des rendements dans le Sud, et une amélioration dans le Nord : la récolte de maïs et de betterave a diminué de 25 % en Italie, alors que celle de blé perdait 30 % au Portugal ; en France, le maïs perdait 25 % et le blé 10 % ; par contre, en Irlande, la récolte de betterave augmentait de 25 %, et de 5 % en Suède et au Danemark.

Une adaptation coûteuse

Mais, si la dépendance de l'agriculture vis-à-vis du climat est forte, elle est loin d'être absolue. Comme toute activité humaine, elle dépend beaucoup de divers choix sociaux. Toutes sortes de mesures existent, qui permettent d'atténuer les effets du réchauffement. L'irrigation, par exemple, le recours à des variétés végétales plus résistantes, à des races animales robustes, à des techniques culturales améliorées, la mise en place d'arbres dispensant de l'ombre, etc.

Nul doute que les pays les plus riches mettront ces stratégies en pratique.

À l'inverse, les régions les plus pauvres de la planète souffrent d'ores et déjà de surpâturage, d'épuisement et d'érosion des sols résultant de pratiques agricoles inadaptées... Il est manifeste que, pour résister aux effets du réchauffement, les continents les plus mal lotis auront besoin d'une aide agronomique et scientifique, ainsi que d'investissements importants. Reste à savoir si l'Occident, qui détient le savoir et les capitaux, fournira cette aide ou s'accommodera de la catastrophe annoncée.

Les installations humaines

Bâtiments d'habitation, centrales nucléaires, ponts, digues sont autant de constructions conçues pour durer des décennies, et qui subiront donc aussi le changement climatique.

Des dégâts très coûteux

Les compagnies d'assurance sont sans doute les acteurs économiques qui se préoccupent le plus du réchauffement climatique. Ce sont également ceux qui s'en préoccupent depuis le plus longtemps, puisque c'est le cyclone Andrew en 1992, avec pour la première fois plus de 20 millions de dollars de dégâts assurés, qui a fait office de signal d'alarme. Cette évolution est bien compréhensible, car le coût des 3 °C et 50 cm de niveau marin en plus qui s'annoncent pour le globe pourrait bien être très élevé – après tout, le coût actuel des dégâts météorologiques dépasse déjà les 1 000 milliards de dollars chaque année.

La fonte du permafrost

Les pays les plus froids de la planète ont d'ores et déjà constaté que le permafrost (qui occupe environ le quart des terres émergées) avait commencé à fondre à une allure inquiétante, alors que nous n'en sommes qu'aux toutes premières étapes du changement annoncé. On pense que, d'ici à 2080, de 20 à 35 % de sa surface aura fondu.
Si cela est probablement une bonne nouvelle pour l'agriculture, il n'en va pas de même pour les constructions humaines. Le permafrost, en effet, est dur comme de la pierre et, il y a 20 ou 30 ans, nul ne soupçonnait qu'il pourrait un jour disparaître. Sa fragilisation entraînera donc celle des bâtiments et de très nombreuses infrastructures telles que routes, ponts, lignes électriques, etc., qui reposent sur ce type de sol.
On s'attend également à des mouvements de terrain qui risquent de poser d'importants problèmes aux canalisations enterrées (notamment aux pipe-lines). Des pays comme la Russie (mais on songe aussi au Canada et à la Scandinavie) sont occupés à 60 % par le permafrost, ce sont donc de très coûteux travaux de consolidation qui les attendent. Mais ce n'est pas tout. De même que la fonte du permafrost accroît l'érosion côtière, fluviale et les risques de glissements de terrain, on peut prévoir qu'en zone de montagne, notamment dans les Alpes, le réchauffement annoncé aura un impact important. Il devrait en particulier contribuer à déstabiliser les versants, multipliant avalanches, éboulements et coulées de boue. Là encore, les inévitables dégâts aux habitations et surtout aux infrastructures (routes, voies ferrées...) risquent d'être coûteux.

LEXIQUE

[Infrastructure]
Ensemble des équipements économiques et techniques d'un pays, réseaux de transport, d'énergie, etc.

[Érosion]
Ensemble des actions externes des agents atmosphériques, des eaux, des glaciers, etc., qui provoquent la dégradation du relief.

Des calculs caducs ?

Mais le reste de la planète va aussi connaître des changements importants d'ici à quelques décennies. Ces changements dus au

L'intensification des pluies est susceptible d'induire des dommages coûteux aux installations humaines (à travers, par exemple, des éboulements de terrains comme ici en Californie).

réchauffement climatique poseront des problèmes de dimensionnement de nombreuses installations. Prenons par exemple les sites sensibles tels que les centrales nucléaires. Celles-ci sont généralement situées au bord des fleuves, car elles ont besoin d'être refroidies. Elles sont donc exposées au risque de crue. Celui-ci a généralement été calculé avec une marge de sécurité importante, mais, en modifiant l'hydrologie, le réchauffement climatique pourrait réduire dangereusement cette marge. De même, les ouvrages d'art comme les ponts ou les bâtiments de grande hauteur sont conçus en fonction des conditions climatiques en vigueur, et les événements exceptionnels (tempêtes, vents violents) ont été pris en compte à un certain niveau...dont il s'avère à présent qu'il est remis en question.

Repenser l'architecture et l'urbanisme

En réalité, un bâtiment étant en moyenne construit pour durer un siècle, c'est dès maintenant qu'il faudrait réfléchir à nos choix architecturaux, de façon à les faire correspondre au mieux aux contraintes futures. La profession a déjà engagé

L'agglomération de Boston a financé une étude qui a montré sa vulnérabilité à l'élévation du niveau de la mer. Celle-ci aggravera l'effet des tempêtes, risquant de recouvrir périodiquement cette région densément peuplée et près de la côte.

des programmes de recherche en la matière. Le Japon, notamment, se préoccupe activement de l'effet « îlot de chaleur » généré par les grandes agglomérations – d'autant que les experts de ce pays s'attendent à un réchauffement dépassant les 4 °C. Les villes absorbent en effet, notamment via les surfaces goudronnées, d'énormes quantités de rayonnement solaire, devenant beaucoup plus chaudes que les campagnes environnantes (+ 3 °C pour l'agglomération de Tokyo aujourd'hui), en particulier durant la nuit. Dans ce contexte, qui est celui de nombreuses villes tropicales, le recours

Catastrophes climatiques et assurances

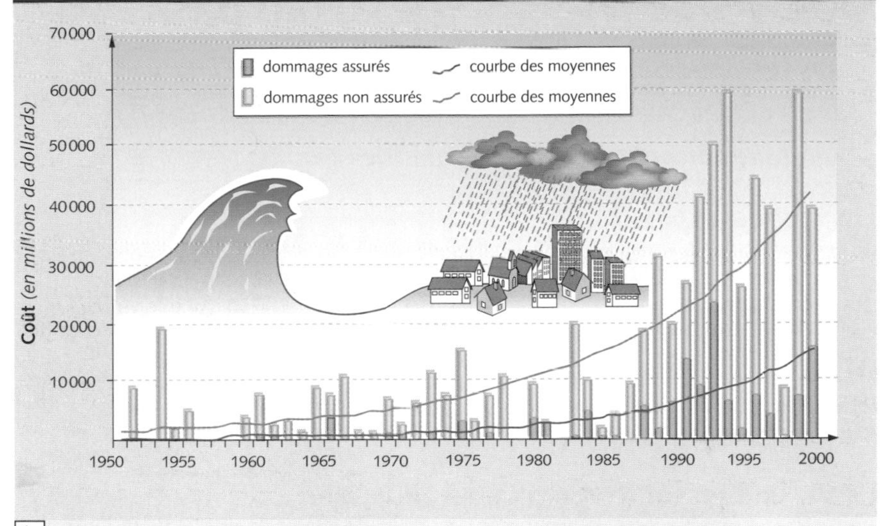

Coûts des catastrophes d'origine météorologique, selon les statistiques d'une grande compagnie de réassurance. L'enrichissement global de la société explique évidemment une partie de l'accroissement constaté, mais l'évolution climatique pourrait aussi jouer un rôle.

aux surfaces claires, aux toits végétalisés (couverts de terre et de plantes), et à la circulation d'eau via fontaines et canaux semble donner de bons résultats, mais il doit être déployé à grande échelle.

Les pays européens, s'ils sont également exposés aux vagues de chaleur, doivent aussi prendre en compte l'intensification du cycle de l'eau et le risque d'inondation.

Une étude britannique publiée en 2000 recommandait d'ores et déjà de dimensionner les bâtiments pour des vitesses de vent de 5 à 10 % plus élevées et pour des débits pluviaux en augmentation, mais aussi d'éviter les zones inondables et côtières, et de choisir les matériaux adaptés à une température et à des précipitations plus élevées. La végétalisation des toits y est également d'actualité – ne serait-ce que parce qu'elle a un effet anti-crue, en réduisant le ruissellement, et même une certaine action dépolluante !

Le cas de Boston

Un groupe de chercheurs de plusieurs universités américaines a évalué le coût des dégâts qu'induira la montée des eaux conjuguée aux tempêtes côtières sur l'agglomération de Boston (101 communes), un territoire régulièrement victime d'inondations. Leurs résultats, publiés en 2003, indiquent que dans le siècle à venir, sans montée des eaux, le coût de ces inondations aurait été de 10 milliards de dollars. Mais, dans la réalité, il sera quelque part entre 25 milliards et 98 milliards de dollars, en fonction des mesures d'adaptation adoptées par la ville (restrictions à la construction, édification de protections, etc.). L'étude n'a pas pris en compte la possibilité d'une augmentation de la fréquence et de l'intensité des tempêtes (qui est possible, mais pas démontrée) : la hausse des eaux seules induit mécaniquement ce résultat.

Un peu de géopolitique

Dans un monde instable, les tensions supplémentaires générées par un climat changeant risquent de se traduire par des flux migratoires incontrôlables, voire par des conflits.

Un monde explosif

Le monde actuel est caractérisé par des inégalités extrêmes et par une grande instabilité géopolitique. Ce monde est en outre régi par une impitoyable concurrence économique, actuellement en phase de généralisation et d'intensification, qui englobe aussi bien les États que les entreprises. La planète est d'ores et déjà le siège de nombreux conflits armés, d'ampleur diverse, et fait l'objet de flux migratoires sans précédent dans l'histoire. Dans ce contexte, les bouleversements climatiques susciteront inévitablement un surcroît de tensions dont on peut douter, au vu de l'actualité, qu'elles seront toutes gérées avec sagesse et équité.

L'eau, une ressource de plus en plus rare

Prenons par exemple la question de l'eau, dont M. Boutros-Ghali, autrefois secrétaire général de l'ONU, disait qu'elle serait la cause de la prochaine guerre au Moyen-Orient. L'eau est une denrée qui se raréfie du fait des besoins croissants des hommes et de l'irrigation : nous prélevons aujourd'hui environ 10 % de l'écoulement total des rivières de la planète. Mais c'est une moyenne globale : le chiffre est bien plus élevé dans certains pays. Il atteint 75 % pour l'Inde, par exemple, ce qui laisse peu de place à la croissance. Aujourd'hui, 1,4 milliard d'hommes vivent avec moins de 1 000 m^3 d'eau par personne et par an (une semaine de consommation d'un Européen), principalement en Asie du Sud, du Sud-Est, au Moyen-Orient et autour de la Méditerranée. Or, dans ces régions, la ressource se raréfiera sans doute, alors que la population augmentera. On estime entre 700 millions et 2,4 milliards le nombre de Terriens dont la ressource en eau baissera de façon perceptible. Le débit du Tigre, de l'Euphrate, de l'Indus et du Brahmapoutre, selon une estimation récente, baisserait respectivement de 22, 25, 27 et 14 %, et à l'inverse, celui des grands fleuves chinois augmenterait considérablement, ainsi que

En aggravant les inégalités planétaires et en raréfiant certaines ressources, le réchauffement climatique risque d'accentuer les tensions sociales qui nourrissent le terrorisme. De nouveaux « 11 septembre » en perspective ?

On peut craindre un nombre de « réfugiés climatiques » toujours plus important, notamment sous l'effet de l'aridification de certaines régions (ici à la frontière entre la Somalie et le Kenya).

celui des fleuves sibériens. N'oublions pas qu'il existe aussi de nombreux fleuves transfrontaliers (depuis le Jourdain jusqu'au Niger, en passant par le Danube et l'Indus), et que les conflits d'usage ont toutes les chances de s'y envenimer... Même l'agriculture américaine repose pour partie sur des nappes d'eau fossile, en voie d'épuisement.

Des migrations climatiques ?

La question de l'autosuffisance alimentaire, elle aussi, sera source de bien des tensions. Les effets du réchauffement pourraient générer des famines périodiques dans de nombreux pays, voire une insuffisance alimentaire chronique, notamment là où la désertification s'étend actuellement. Le Maghreb, par exemple, subirait une réduction de 40 % de la pluviométrie selon certaines études, pour un réchauffement d'environ 2 °C – l'agriculture y serait alors très difficile. Des flux très importants de réfugiés en résulteraient, qui, à l'échelon du globe, pourraient s'ajouter à ceux qui seraient générés par la hausse du niveau de la mer. Le président du GIEC a récemment estimé à 150 millions de personnes à l'horizon 2050 le nombre potentiel des « réfugiés climatiques », mais ce chiffre est évidemment susceptible d'importantes variations. Or, on sait que les réfugiés sont une manne pour les recruteurs de bandes armées, que leur détresse a des conséquences sanitaires désastreuses, et que leur coût pour la société est très élevé. En outre, une extension de la misère dans les pays du Sud provoquerait sans aucun doute une ruée vers les pays plus riches. Une ruée que répression et vexations – pourtant généralisées – auront de plus en plus de mal à endiguer. Personne ne restera à l'écart des bouleversements qui s'annoncent – le combat pour les atténuer est d'intérêt planétaire.

Les émissions de gaz à effet de serre de l'humanité ne cessent de croître, malgré les cris d'alarme des climatologues. Ces émissions, à l'image de notre monde, sont très inéquitables : les habitants des pays riches polluent 20 fois plus que ceux des pays pauvres. Elles ont des origines multiples, provenant à la fois de notre alimentation, du chauffage de nos maisons, de notre consommation de produits manufacturés, de nos transports... C'est en fait notre avidité énergétique globale ainsi que la place occupée par les hydrocarbures dans notre société qui sont en cause.

La production d'acier nécessite beaucoup d'énergie, et provoque par voie de conséquence d'importantes émissions de dioxyde de carbone.

Qui provoque l'effet de serre ?

Les émissions globales

Le dioxyde de carbone et d'autres gaz à effet de serre s'accumulent chaque année dans notre atmosphère du fait des activités humaines, avec des chiffres qui ne cessent d'augmenter.

Une moitié des émissions absorbée par la nature

Les émissions de dioxyde de carbone imputables à l'humanité se situent entre 6 et 7 milliards de tonnes d'équivalent carbone par an (on utilise souvent cette unité de mesure basée sur l'effet de serre généré). Cela est dû principalement à la combustion d'énergies fossiles (pétrole, gaz naturel et charbon) et à la fabrication de ciment.
Ce chiffre est assez précisément connu, puisqu'il se déduit très simplement de statistiques industrielles bien maîtrisées et fiables. Il faut le compléter, cependant, par d'autres, difficiles à évaluer.
Le principal est le chiffre qui concerne les émissions de carbone résultant de la déforestation dans la zone tropicale, estimé entre 1 et 2 Gt (gigatonne) par an.
Une zone forestière stocke beaucoup de carbone au-dessus du sol, mais également en dessous. L'abattage des arbres et leur remplacement par des terres agricoles, très pauvres en carbone, se traduisent donc par une libération de cet élément.
Heureusement, tout le carbone émis depuis les différentes sources ne reste pas dans l'atmosphère. L'océan en absorbe environ 2 Gt par an, et la biosphère terrestre – en zone tempérée – entre 1,6 et 4,8 Gt (ces chiffres font l'objet de débats). Au total, le bilan atmosphérique net (tonnage émis moins tonnage absorbé) équivaut à un accroissement d'environ 3,2 Gt par an.

L'exploitation du bois, si la forêt est replantée au fur et à mesure, ne génère pas d'émissions : les arbres en croissance réabsorbent le carbone émis par la combustion de ceux qui ont été prélevés.

L'objectif : 500 kg d'équivalent carbone chacun

Notons que nous sommes d'ores et déjà à des niveaux de concentration en gaz à effet de serre dans l'atmosphère sans précédent depuis 1 million d'années. Pour éviter de déstabiliser (s'il en est encore temps) complètement notre climat, il est urgent

LEXIQUE

[Equivalent carbone] Unité qui exprime l'effet « réchauffant » comparé des différents gaz à effet de serre en prenant en compte à la fois leur longévité et leurs propriétés optiques.

d'arrêter au plus tôt cette augmentation. La logique voudrait donc que nous réduisions nos émissions de 3,2 Gt par an, afin de ne pas émettre plus que ce que les milieux naturels peuvent absorber. Pour fixer des ordres de grandeurs faciles à retenir, on peut dire que, dans une humanité peuplée de 6 milliards d'individus où le droit à polluer serait équitablement réparti, cela suppose que chacun (enfants compris) pourrait émettre environ 500 kg d'équivalent carbone par an. Ce chiffre est un étalon pratique qui permettra au lecteur d'apprécier les grandeurs évoquées dans les pages suivantes.

Des écarts compris entre 1 et 70

Mais, pour en apprécier le sens, quelques ordres de grandeur s'imposent.
Un Américain ou un Australien, aujourd'hui, émet environ 7 tonnes d'équivalent carbone par an (les seuls États-Unis émettent environ 22 % des gaz à effet de serre et ont émis près de 40 % du CO_2 actuellement dans l'atmosphère) ; un Polonais ou un Anglais, 3 tonnes ; un Français, 2 tonnes ; un Mexicain, environ 1 tonne (ce qui est à peu près la moyenne mondiale) ; un Chinois, 0,7 ; un Indien, seulement 0,3, et la plupart des pays africains, moins de 0,1. On voit d'emblée que, si l'on se pose dans une perspective d'équité, les sacrifices ne seront pas les mêmes pour tous. Il en résulte aussi que l'adoption du mode de vie américain par l'ensemble des 6 milliards d'habitants de la planète conduirait à une multiplication par 6 des émissions... alors que l'objectif est précisément de les diviser par 2.

Les émissions de CO_2 par pays

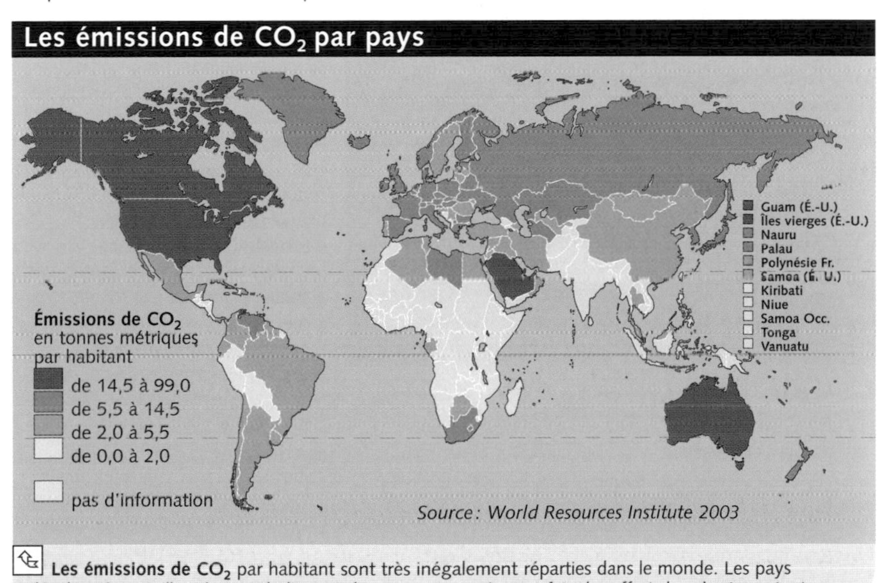

Les émissions de CO_2 par habitant sont très inégalement réparties dans le monde. Les pays développés se taillent la part du lion, et devront par conséquent faire les efforts les plus importants.

Les transports

La liberté de déplacement qu'a apporté le moteur à explosion a généré dans notre société une véritable toxicomanie à l'automobile, dont le coût climatique est élevé.

Au moins 25 % du gaz carbonique de l'humanité

L'extraordinaire développement des transports que l'on observe depuis environ un siècle est une des caractéristiques majeures de notre monde. L'automobile est citée par l'historien américain J.-R. McNeill comme étant probablement l'invention aux plus lourdes conséquences sociales et environnementales du XXe siècle. Les transports consomment, d'après les statistiques de l'Agence internationale de l'énergie, 20 % de l'énergie mondiale, et émettent 24 % du gaz carbonique produit par l'humanité.

Mais ces statistiques minorent en fait la place occupée par l'automobile dans notre univers. Car il faudrait également prendre en compte le coût énergétique de la construction et de l'entretien du colossal réseau routier et autoroutier que l'automobile a littéralement fait sortir de terre, et qui continue actuellement à s'étendre, notamment dans les pays moins développés.

À la fin du XXe siècle, aux États-Unis, le réseau routier dépassait 5,5 millions de km (le réseau ferré est dix fois moins important) ; quant à l'espace réservé à la voiture (incluant routes, parkings, etc.), il occupait 5 à 10 % de la surface totale du territoire en Europe, au Japon et aux États-Unis. Il faudrait également comptabiliser la consommation d'énergie et les émissions de CO_2 que représente la fabrication des véhicules.

Aux États-Unis, toute l'occupation du territoire s'est mise en place dans un contexte d'hydrocarbures bon marché. Sortir de cette logique sera d'autant plus douloureux.

Une étude allemande datant des années 1990 indique que la fabrication d'une voiture d'une tonne génère 29 tonnes de déchets ; produire un véhicule émet la même pollution atmosphérique que le conduire pendant 10 ans !

Le parc automobile mondial

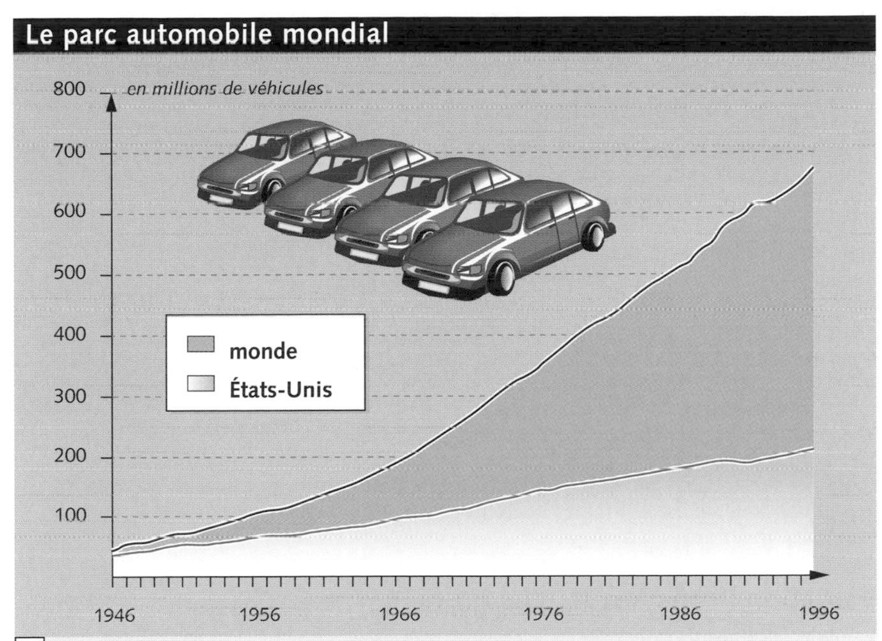

En 50 ans, nous sommes passés d'un nombre négligeable à près de 1 milliard de véhicules à moteur sur terre. Les émissions par véhicule ont peu évolué, malgré les progrès techniques, car leur puissance a considérablement augmenté.

Toujours plus de véhicules

Pour l'instant, la production d'automobiles continue à croître à un rythme impressionnant, environ 2,5 % par an depuis 1970 aux États-Unis (où se trouve le plus important parc du monde) et plus rapidement encore pour le reste de la planète. Et cette expansion pourrait durer : Il y a certes une voiture en circulation pour 1,5 habitant aux États-Unis, mais en Chine ou en Inde on trouve une voiture pour 100 habitants.
La conséquence de cette croissance est que les émissions continuent de croître à une vitesse impressionnante : ainsi, depuis 1990, l'Union européenne a-t-elle réussi à contenir ses émissions… sauf dans le domaine des transports où elles ont augmenté de 18 %. Le rôle d'affirmation sociale joué par la voiture n'est évidemment pas étranger à cette évolution. Il a été calculé qu'une voiture émet en moyenne, sur route, 60 g d'équivalent carbone par passager et par kilomètre. En ville, ce chiffre atteint 100 g. Dans ce dernier cas, faire 15 000 km en voiture chaque année génère par conséquent 1,5 tonne d'équivalent carbone… (soit trois fois plus que le chiffre de 500 kg souhaitable pour un individu moyen, cf. page 69). Lorsqu'on sait qu'un camion consomme bien plus qu'une grosse voiture, on mesure combien l'essor actuel du transport routier de marchandises est nocif sur le plan climatique.
Or les mesures visant à libéraliser le commerce international, quoi que l'on puisse

en penser sur d'autres plans, contribuent évidemment à développer cette évolution.

Le train et l'autobus plus économes

Le transport ferroviaire est dans tous les cas de figure nettement moins émetteur que son homologue automobile. Néanmoins, pour juger finement des effets climatiques du train, il importe de connaître l'origine de l'électricité qui génère son déplacement. Il est en effet des électricités plus ou moins émettrices en CO_2. Ainsi le transport ferroviaire en France (pays disposant d'un parc nucléaire plus que considérable) génère environ 3 g d'équivalent carbone par passager et par kilomètre, tandis que ce chiffre dépasse les 20 g pour le Royaume-Uni, où l'énergie électrique est principalement d'origine fossile. Les autres pays européens se situent pour la plupart à l'intérieur de cette fourchette, selon l'importance de leur parc nucléaire, la modernité de leurs centrales thermiques, le nombre de leurs barrages, etc. L'autobus, avec 25 g environ, dépasse le train tout en se maintenant à des niveaux relativement raisonnables.

Le mystère des cirrus

Les scientifiques soupçonnent depuis plusieurs années les avions de générer des nuages de très haute altitude, les cirrus, constitués de cristaux de glace, nuages qui seraient responsables d'un effet de serre considérable. Or la dynamique de la haute atmosphère, où volent les avions et où se forment les cirrus, est encore mal comprise : la question est donc encore ouverte. Cet « effet cirrus » pourrait aller jusqu'à doubler les impacts climatiques de l'aviation, avec des conséquences qui s'avéreraient très préoccupantes.

L'aviation, transport le plus polluant

Le mode de transport qui connaît actuellement le développement le plus rapide est l'avion, alors qu'il est de très loin le plus émetteur. En effet un avion émet autant de dioxyde de carbone, par passager et par kilomètre, qu'une voiture de grosse cylindrée. Mais il émet aussi, et ce dans la haute atmosphère, un certain nombre d'autres gaz, notamment des oxydes d'azote. Ceux-ci provoquent la formation de beaucoup d'ozone (un gaz à effet de serre) : c'est pourquoi leur présence aggrave de 60 % environ l'effet du CO_2. De plus, les avions forment des traînées, de longs nuages blancs et fins, dont l'effet réchauffant est également avéré, car ce type de nuage d'altitude, tout en laissant passer beaucoup de lumière visible, arrête efficacement le rayonnement infrarouge. Tout cela double l'impact des seules émissions de CO_2. L'aviation, depuis 1970, s'est développée au rythme de 4,5 % par an – un rythme encore plus rapide que la progression de l'automobile, et cela en dépit des chocs pétroliers. Les attentats du 11 septembre 2001 ont à peine ralenti ce développement : cet

Une véritable toxicomanie du voyage se répand dans les pays riches, qui augmente la croissance du transport aérien, très perturbant pour le climat.

Les cirrus générés par les avions en haute altitude pourraient avoir un fort impact climatique.

éphémère ralentissement a d'ores et déjà été rattrapé par les taux de croissance à deux chiffres de l'année 2004. Toutes les compagnies s'attendent à un développement supérieur à 5 % par an pour le trafic passagers et pour le fret..., ce qui provoquera mathématiquement au moins un triplement des émissions d'ici à 2050, voire davantage si les progrès techniques ne sont pas au rendez-vous.

Un carburant détaxé

Il faut dire que l'aviation internationale est totalement exemptée de taxes sur les carburants, en vertu d'une convention signée en 1944 à Chicago, qui visait à organiser et à développer l'aviation civile après la guerre. Aujourd'hui, le résultat est que l'aviation civile internationale bénéficie d'une subvention considérable : le litre de carburant lui coûte quatre ou cinq fois moins cher que ce qu'il coûte aux particuliers en Europe occidentale. L'aviation civile a en outre réussi à échapper totalement aux limitations exigées par le protocole de Kyoto, au motif qu'il était trop difficile de savoir à qui attribuer les émissions (au pays de la compagnie aérienne ou au pays des passagers embarqués ?). Par conséquent, on ne peut que constater avec regret que le transport le moins émetteur, le train, est celui qui connaît les taux de croissance les plus faibles, tout comme le bateau, alors que les modes de déplacement les plus émetteurs, à savoir l'automobile (notamment les 4x4, de plus en plus en vogue), et surtout l'avion, progressent quant à eux de manière explosive !

Les émissions liées à notre alimentation

Les métamorphoses de notre mode de vie ont généré une agriculture productiviste et une industrie agroalimentaire florissante…, toutes deux fortement émettrices de gaz à effet de serre.

Une agriculture productive… et émettrice

L'agriculture a réalisé au cours du xxe siècle un extraordinaire bond de productivité. Elle a réussi à nourrir une population mondiale qui a quadruplé en un siècle (les causes des famines sur cette période sont politiques), alors que les surfaces agricoles ont seulement doublé. Mais cet exploit a été accompli au prix d'importantes transformations, qui ont généré diverses conséquences négatives. La plus importante d'entre elles est sans doute que l'agriculture est devenue une activité étroitement dépendante des combustibles fossiles. D'un certain point de vue, aujourd'hui, nous mangeons du pétrole transformé ! D'abord car il y a eu dans ce secteur une mécanisation très poussée, qui a d'ailleurs généré une réduction considérable du nombre d'agriculteurs. Dans la plupart des pays développés, ceux-ci représentent environ 5 % de la population, y compris dans les nations exportatrices : il a été calculé qu'un agriculteur américain nourrit aujourd'hui plus de 70 personnes. Cela se traduit par une omniprésence des machines (tracteurs, moissonneuses, trayeuses…) et par une consommation importante de carburants. Le nombre de tracteurs dans le monde est passé de 300 000 en 1920 à 10 millions en 1960, pour atteindre près de 30 millions à la fin du xxe siècle, et leur puissance unitaire (donc leurs émissions) s'est nettement accrue.

Engrais et pesticides incontournables

En outre, l'agriculture est devenue une consommatrice vorace d'engrais et de pesticides. Les variétés modernes sont certes hyperproductives, mais elles sont incapables de pousser sans ce soutien industriel. Or,

Et l'agriculture biologique ?

L'agriculture biologique n'est évidemment pas exempte d'émissions : elle est mécanisée, les engrais naturels qu'elle utilise génèrent aussi du protoxyde d'azote et le bétail biologique émet du méthane. Mais elle ne recourt ni aux pesticides ni aux engrais de synthèse : elle émet ainsi 30 % de moins, en équivalent carbone, que l'agriculture non biologique. De plus, l'agriculture biologique protège l'environnement sur de nombreux autres terrains. Cultiver « bio » génère une perte de rendement de 30 % environ : il faudrait donc augmenter d'un tiers les surfaces agricoles, toutes choses étant égales par ailleurs, pour conserver la même production. Aux États-Unis, 80 % des surfaces agricoles sont employées à nourrir les animaux ; en Europe de l'Ouest, ce chiffre est d'environ 60 %. Il serait donc possible, en réduisant sensiblement notre consommation de viande, de rendre notre agriculture nettement plus « propre ».

Les rendements très élevés de l'agriculture industrielle reposent sur une importante consommation d'hydrocarbures, d'où de fortes émissions de dioxyde de carbone.

engrais et pesticides doivent être fabriqués (à partir de dérivés du pétrole pour les seconds), puis transportés, ce qui consomme de l'énergie et génère des émissions. De plus, les engrais azotés entraînent la production de protoxyde d'azote, un gaz à effet de serre bien plus puissant que le dioxyde de carbone (à volume égal).

L'envol de la consommation de viande

Ajoutons que notre alimentation est devenue bien plus carnée qu'autrefois. Les habitants des pays développés consomment à présent près de 100 kg de viande par personne et par an. Or la viande génère d'importantes émissions. D'abord parce qu'il faut nourrir les animaux d'élevage pour les engraisser, donc leur donner des céréales elles-mêmes issues de l'agriculture industrielle. Ces céréales doivent être fournies en grandes quantités : il en faut environ 50 kg pour produire 1 kg de bœuf. Ensuite parce qu'il faut leur construire des locaux et les chauffer. Et enfin, dans le cas des bovins, parce que les fermentations liées à leur digestion libèrent de très grandes quantités de méthane, auxquelles s'ajoutent les émissions liées à la fabrication de tous les produits laitiers (beurre, lait, fromages...). Ainsi, consommer un kilo de veau émet 12 kg d'équivalent carbone, c'est-à-dire la même chose qu'un trajet en voiture de 200 km !

La mondialisation de l'agriculture génère des flux de marchandises déraisonnables depuis l'hémisphère Sud (ici des pêches en Afrique du Sud) vers les métropoles européennes et américaines.

Même un kilo de beurre génère 3 kg de carbone, autrement dit la même chose que 50 km en automobile !
Certes, d'autres viandes comme la volaille sont 20 fois moins émettrices, mais elles le sont toujours plus que les végétaux. Or, au cours du XXe siècle, la quantité de viande consommée par personne et par an a été multipliée par 2 ou 3 dans les pays occidentaux. À l'échelle de la planète, elle a augmenté de 60 % au cours des 40 dernières années, atteignant 37 kg en 1998. Quant au cheptel bovin, il a été multiplié par 4 depuis le début du siècle (pour atteindre 1,3 milliard de têtes en 2001 – buffles non compris). Les porcs, eux, ont vu leur effectif multiplié par 11 (922 millions)… et la volaille (poulets) par 20, ce qui représente, aujourd'hui à l'échelle du globe, 14,8 milliards de têtes.

Des aliments toujours plus voyageurs

De plus, l'agriculture a partout été réorientée vers le marché mondial, alors que, pendant des millénaires, elle avait pour vocation de satisfaire les besoins locaux,

ou tout au plus régionaux. Entre 1968 et 1998, alors que la production s'est accrue de 84 %, les échanges agricoles ont augmenté de 184 %. L'industrie agroalimentaire, qui transforme les produits agricoles, a subi la même évolution. Le résultat en a été une explosion des flux de transport de denrées agricoles ou alimentaires.
En France, d'après les statistiques officielles, ces flux occupent 35 % des camions en circulation. Au Royaume-Uni, ce chiffre est proche de 40 %.
Une bonne partie de ces transports résulte de simples « échanges » et non pas de productions que les pays ne pourraient réaliser eux-mêmes : toujours au Royaume-Uni, pour prendre un seul exemple, 126 millions de litres de lait ont été importés et 270 millions exportés en 1997 ! Une étude américaine portant sur un panier typique de 26 produits a conclu que les marchandises avaient parcouru 6 fois le tour de la Terre (241 000 km) avant d'arriver au consommateur ! En effet, de plus en plus d'aliments prennent à présent l'avion, alors que ce mode de transport émet 50 fois plus d'équivalent carbone que le bateau. Ainsi, un kilo de pommes commercialisées en Europe en provenance d'Afrique du Sud émet 3 kg d'équivalent carbone, contre seulement 3 g, c'est-à-dire 1 000 fois moins, s'il s'agit d'une production locale.

L'industrie agroalimentaire n'est pas en reste

Enfin, l'industrie agroalimentaire est une grosse émettrice de gaz à effet de serre. Les plats cuisinés et les préparations diverses se multiplient, alors qu'ils consomment évidemment beaucoup d'énergie. Pour ce qui concerne la nourriture surgelée, il faut d'abord fournir de la chaleur pour la cuisson, puis du froid pour la conservation, et enfin à nouveau de la chaleur pour pouvoir la consommer ! L'industrie agroalimentaire est l'une des plus gourmandes en emballages : le Royaume-Uni, pour ne prendre qu'un exemple de pays développé, consomme chaque jour 80 millions de boîtes de conserve et autres canettes en acier ou en aluminium, dont seulement une fraction infime est recyclée...

L'industrie agroalimentaire (ici fabrication de volailles congelées panées) est responsable d'émissions importantes. La congélation, notamment, consomme beaucoup d'énergie.

Les diverses constructions

Les multiples émissions générées par nos bâtiments constituent sans doute un des plus importants gisements d'économies, via des mesures simples comme l'isolation.

Des bâtiments très émetteurs

Nos logements et nos bureaux consomment quelque 35 % de l'énergie produite dans le monde : ils forment donc l'un des premiers émetteurs de gaz à effet de serre, avec 1,65 Gt (gigatonne) d'équivalent carbone émis en 1990.
Cette consommation a augmenté de 3 % par an entre 1970 et 1990, et elle continue actuellement à croître à un rythme d'environ 2,5 %. Il s'agit principalement de coûts d'éclairage, de chauffage, de refroidissement et de production d'eau chaude.
Les émissions du chauffage, par exemple, ont été évaluées, pour un logement moyen, à 2,4 tonnes d'équivalent carbone par an si celui-ci est chauffé au fioul (base 3 000 litres). S'il est chauffé à l'électricité, les émissions dépendent du pays. Elles seront de 0,6 tonne en France (pays très fortement nucléarisé) mais de 5,5 tonnes au Danemark, un pays qui consomme encore beaucoup de charbon.

L'efficacité de l'isolation

Or il est connu que des mesures d'isolation relativement simples permettent de réduire considérablement ce chiffre. Une étude américaine, en particulier, s'est attachée à étudier une maison d'un étage occupant 64 m² au sol.
L'énergie consacrée au chauffage quotidien, pour un écart de 10 °C entre intérieur et extérieur, était de 5,8 kW sans mesures d'isolation particulières. Avec des éléments d'isolation qualifiés de « modérés » (double vitrage, plancher de 50 mm, couverture du toit), l'énergie nécessaire était tombée à 2,65 kW, autrement dit moitié moins.
Des chiffres analogues ont été produits pour l'Union européenne. Par exemple, on obtient une réduction de 42 % des émissions par simple adjonction d'isolants en laine minérale. Il a été calculé que, dans un pays comme la France, la rénovation selon des exigences thermiques strictes des logements qui ont plus de 30 ans économiserait 10 % des émissions du pays !
Quant aux logements neufs, il est vrai qu'ils font généralement déjà l'objet d'une réglementation thermique. Mais il est important de veiller à ce qu'ils correspondent à l'optimum de la technologie sur ce terrain : plus d'un milliard et demi d'humains vivent dans des zones où il est nécessaire de se chauffer en hiver.

Des progrès à portée de main

Le bâtiment apparaît comme un secteur où, contrairement au transport, d'importantes économies d'énergie semblent possibles à service rendu égal. Diviser par deux les émissions en une vingtaine d'années serait un objectif réalisable, d'après le GIEC. Le coût de ces améliorations paraît même relativement faible. Mais l'ampleur des changements à apporter nécessite de s'atteler à la tâche au plus vite.

Beaucoup de bâtiments de prestige (ici le siège social de la Deutsche Bank à Francfort) sont de grands dévoreurs d'énergie, notamment les tours en verre, qui nécessitent à la fois beaucoup de chauffage et de climatisation.

Pourquoi pas le bois et le solaire ?

La production d'eau chaude, elle aussi, pourrait être bien plus « propre » qu'actuellement. Alors qu'elle recourt généralement à l'électricité, il serait nettement plus rationnel de l'assurer via l'énergie solaire, bien mieux adaptée à cette tâche qu'à la production d'électricité. Le *Department of Energy (DoE)* américain a calculé que, si seulement 10 % des bâtiments des États-Unis disposaient de systèmes d'eau chaude solaire, 8,4 millions de tonnes d'émissions seraient évités. Pour les milliards d'êtres humains qui vivent dans les zones chaudes de la planète, où l'ensoleillement est important, il y a là un gisement de réduction d'émissions considérable. Même dans les pays moins ensoleillés nécessitant du chauffage, ce dernier peut provenir en partie d'apports solaires, ou d'autres énergies renouvelables. La géothermie, qui utilise l'eau chaude du sous-sol, est par exemple une solution trop rarement mise en œuvre.
Le bois de chauffage, à partir du moment où il provient de forêts gérées, et pas de la déforestation, est considéré comme une énergie renouvelable. Le développement de ce combustible permettrait en outre, dans les pays disposant de forêts,

Le culte de la maison individuelle (ici une communauté privée aux États-Unis) génère un habitat bien plus consommateur d'énergie que les immeubles collectifs, où chaque logement a des cloisons communes avec d'autres.

de réduire considérablement les distances entre la production d'énergie et sa consommation.

Le cercle vicieux de la climatisation

Et puis il y a le problème de la climatisation. Ce poste représente 6 % de la dépense énergétique américaine, et il croît dans un très grand nombre de pays.
Dans les États industrialisés dont le climat est naturellement chaud, par exemple au Japon, la climatisation est d'ores et déjà responsable de pics de consommation

énergétique en été, ce qui est un phénomène préoccupant. Pourquoi ? Parce que la climatisation offre un exemple parfait d'effet pervers du réchauffement climatique. Si, à mesure que le climat se réchauffe, on consomme de plus en plus d'énergie pour refroidir les bâtiments, alors cette énergie générera de nouvelles émissions qui aggraveront encore la situation.

De plus, il faut savoir qu'un climatiseur qui refroidit une pièce réchauffe d'autant la pièce voisine ou l'air extérieur. En ville, cela peut aboutir à un réchauffement perceptible de l'air ambiant dans les rues ! Et puis, surtout, la climatisation repose sur des liquides frigorigènes contenant des HCFC (hydrochlorofluorocarbures), qui sont de puissants gaz à effet de serre et dont la durée de vie est extrêmement longue. Les HCFC se sont substitués aux CFC, car, contrairement à ces derniers, ils n'endommagent pas la couche d'ozone. Il reste qu'ils sont pour certains 12 000 fois plus « réchauffants » – par kilo – que le dioxyde de carbone, et qu'une part significative de ceux qui sont produits finira dans l'atmosphère, à la fin de la vie des appareils qui les contiennent.

Les maisons plus nombreuses et plus grandes

Enfin, le bâtiment actuel utilise beaucoup de matériaux très coûteux en émissions, notamment parce qu'ils sont généralement transportés par camion sur de longues distances, mais aussi parce que leur production est souvent énergivore. Le ciment, par exemple, émet 235 kg d'équivalent carbone par tonne. Les émissions totales générées par la construction d'une maison ont été estimées à 120 kg d'équivalent carbone par mètre carré. Une maison de 100 m² a donc libéré dans l'atmosphère 12 tonnes d'équivalent carbone !

Le lien entre dépense énergétique et superficie de la maison se retrouve bien entendu dans le poste chauffage. Or les maisons ont tendance à s'étendre : aux États-Unis, par exemple, leur surface était, en 2000, plus d'un tiers plus importante par rapport à 1975... La maison individuelle est nettement préférée à l'habitat collectif, lequel est pourtant beaucoup plus économe sur le plan énergétique. L'utilisation de matériaux plus sobres, notamment le bois qui stocke le carbone et constitue un excellent isolant, semble une mesure pratique facile à mettre en œuvre.

La production industrielle

L'objectif de notre société est la croissance, autrement dit la production d'objets manufacturés toujours plus nombreux. Or chaque objet génère des émissions durant sa fabrication...

Une production multipliée par 40 en un siècle

On sait depuis plus de trois siècles que les processus industriels sont gourmands en combustibles : les premières forges et verreries fonctionnaient au bois, et une forge de taille moyenne consommait 2 000 hectares de forêt par an au XVIIIe siècle... À l'aube de la révolution industrielle, les forêts européennes avaient en bien des endroits quasiment disparu sous la pression des besoins énergétiques de la société ! Depuis, le progrès technique a certes accru l'efficacité des processus, mais, au cours du XXe siècle, la production industrielle de l'humanité a été multipliée par environ 40.
Ce poste est donc un des premiers émetteurs de la planète.

Des processus gourmands en énergie

Le calcul des émissions dues aux objets manufacturés que nous consommons nécessite de connaître tout le cycle de vie du produit : les conditions d'extraction du minerai, les transformations successives subies et leur coût énergétique, les différents transports utilisés. Ce calcul précis est donc hors de portée du consommateur moyen, mais il est relativement facile à effectuer pour les industriels concernés.
Pour impliquer davantage la responsabilité de chacun face au réchauffement climatique, il serait sans doute bon que des informations concernant les émissions qu'un produit a générées figurent sur son emballage au même titre que la composition ou le prix.
On retiendra qu'en gros, dans l'industrie, la fabrication des matériaux de base représente généralement 80 % des coûts énergétiques d'un produit, leur mise en forme définitive consommant les 20 % restants. D'où l'intérêt du recyclage, qui permet souvent de réaliser des gains de l'ordre de 40 % (mais il faut prendre en compte le coût énergétique de la collecte et du transport des déchets). La production de métaux à partir de minerai, par exemple, nécessite généralement de gros apports d'énergie, car les métaux se travaillent à haute température. Ainsi fabriquer de l'acier génère 870 kg de carbone par tonne d'acier produite, et l'aluminium, grand dévoreur d'électricité, libère quant à lui 3 tonnes de carbone par tonne produite !
Même la fabrication de plastiques (obtenus à partir de dérivés du pétrole) émet de grandes quantités de CO_2, de l'ordre de 500 à 1 600 kg par tonne produite.

LEXIQUE

[Énergétique]
Relatif à l'énergie, aux sources d'énergie.

Un objet émet en gros son poids en carbone

Pour avoir une idée très approximative des émissions résultant de la fabrication de nos objets quotidiens, on peut considérer qu'ils pèsent, en équivalent carbone, 1 ou 2 fois leur poids réel. C'est naturellement une approximation grossière : un ordinateur portable, bourré de matériaux sophistiqués, de silicium et d'alliages, est bien au-dessus de cette barre, alors qu'une bouteille d'eau minérale est très en dessous (bien qu'il ne faille pas sous-estimer les émissions contenues dans l'eau minérale, qui a généralement fait de longs trajets en camion, contrairement à l'eau du robinet). Mais cela donne un ordre de grandeur pratique : un lave-vaisselle de 30 kg, par exemple, a généré entre 30 et 60 kg d'équivalent carbone.

Ajoutons que les émissions des produits que nous consommons sont considérablement alourdies par le « suremballage » – quasiment pathologique – combiné à l'industrie du « jetable », qui s'est généralisé dans les pays industrialisés. La fabrication de papiers et de cartons génère environ 500 kg de carbone par tonne produite. La suppression des bouteilles consignées, par exemple, et leur remplacement par des boîtes en aluminium ou des « briques » alimentaires ont été très coûteuses pour le climat.

Le recyclage permet d'éviter les phases les plus consommatrices d'énergie de la production industrielle, comme, par exemple, la production d'aluminium primaire dans cette usine.

Le problème de l'énergie

Notre consommation énergétique continue à croître de façon galopante. Elle est dominée par des hydrocarbures pourtant en voie d'épuisement.

Dix milliards de tonnes d'équivalent pétrole par an

L'historien J.-R. McNeill, déjà cité, a calculé qu'au cours du xxe siècle l'énergie utilisée par l'humanité avait été multipliée par 16, tandis que les émissions de CO_2 avaient été multipliées par 17.

Le parallélisme des deux chiffres en dit long : c'est très directement notre boulimie énergétique qui est responsable de l'augmentation de nos émissions.

La consommation énergétique de l'humanité a explosé à partir de la révolution industrielle (vers 1860) grâce à la découverte des potentialités des énergies fossiles, charbon d'abord, pétrole ensuite (à grande échelle depuis 1950), gaz naturel plus récemment. Les combustibles fossiles représentent aujourd'hui plus de 80 % de cette consommation, qui se monte à environ 10 milliards de tep (tonne d'équivalent pétrole) par an, soit 13 000 milliards de watts. On retrouve ici les inégalités caractéristiques de notre société : le Terrien moyen dispose de 2,2 kW, mais s'il est américain ce chiffre grimpe à 11 kW, tandis que 2 milliards d'êtres humains n'ont accès à aucune énergie commerciale, dépendant uniquement de combustibles tels que bois, bouse séchée, etc.

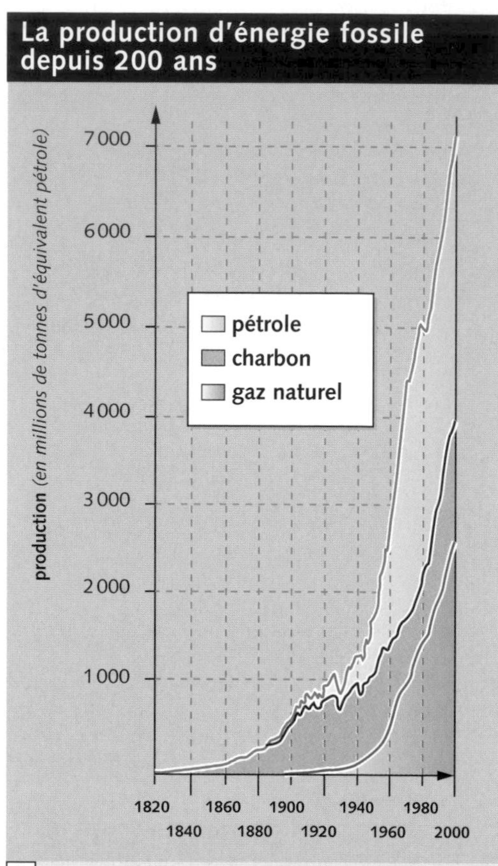

L'extraordinaire accroissement de la production d'hydrocarbures au cours du xxe siècle a libéré dans l'atmosphère des milliards de tonnes de carbone, alors qu'elles étaient enfouies dans les profondeurs du sous-sol depuis des millions d'années.

Cette rue du quartier commerçant de Tokyo avec ses multiples éclairages de nuit réclame beaucoup d'énergie, comme dans la plupart des villes contemporaines.

L'énergie, gage de notre pouvoir sur la nature

À quoi nous sert toute cette énergie ? Elle nous sert tout simplement à transformer le monde dans un sens qui facilite notre existence (ou du moins que nous considérons comme tel). Si la résolution de nos différents problèmes – se loger, se nourrir, se vêtir, se déplacer, se cultiver… – mobilise des matériaux et des moyens différents, ils ont en commun la consommation d'énergie, car c'est fondamentalement l'énergie qui permet de modifier la matière. Disposer d'une grande quantité d'énergie – et, bien sûr, d'un certain niveau technologique – permet d'ailleurs de résoudre la plupart des problèmes de ressources, car un matériau épuisable peut dans ce cas être importé, régénéré ou remplacé par un autre. Ainsi l'Arabie saoudite, qui ne dispose pratiquement pas d'eau douce naturelle, satisfait facilement ses besoins hydriques grâce à des usines de désalinisation d'eau de mer qui fonctionnent au pétrole. La formule « il n'y a pas de problème de ressources, il n'y a que des problèmes d'énergie » résume bien la réalité.

Des émissions variées

Mais toutes les énergies émettent-elles des gaz à effet de serre ? La réponse est oui. Car même les énergies dites renouvelables nécessitent la construction de dispositifs de transformation pour être mises à la disposition du consommateur (éoliennes pour le vent, barrages pour l'hydroélectricité, etc.), de même que le nucléaire suppose l'édification de volumineuses centrales. La construction de ces installations consomme des matériaux qui ont généré des émissions (le béton, par exemple, inclut beaucoup de ciment). Cependant, dans le cas des énergies renouvelables et du nucléaire, ces émissions sont très faibles.

Pour produire 1 kWh d'électricité, l'éolien libère entre 1 et 6 g d'équivalent carbone, l'hydraulique 1,1 g, le nucléaire 1,6 g et l'énergie solaire de 16 à 41 g (du fait de la nécessité de produire du silicium). Ces chiffres sont très éloignés de ceux correspondant aux émissions imputables aux hydrocarbures : la plus performante des installations au gaz naturel (le moins polluant des hydrocarbures) génère 120 g d'équivalent carbone par kWh produit ; les centrales au charbon, elles, doublent ce chiffre (250 g). Signalons aussi que le bois est une énergie renouvelable, très faiblement émettrice, lorsqu'il provient de forêts replantées. Mais il n'en va pas de même s'il est issu de la déforestation. Dans ce cas, tout son carbone se retrouve dans l'atmosphère... soit 400 g par kWh produit !

LEXIQUE

[Réserve]
On désigne ainsi les hydrocarbures qui n'ont pas encore été extraits du sous-sol. Leur évaluation, techniquement difficile et politiquement sensible, fait l'objet de débats.

La domination des hydrocarbures

Hélas, nous l'avons dit, la production mondiale d'énergie est, à une écrasante majorité (près de 80 %), le fait d'hydrocarbures. Cela est dû à leur très grande commodité d'utilisation. Les hydrocarbures concentrent en effet beaucoup d'énergie dans un volume faible : songeons qu'un seul litre d'essence permet de déplacer une voiture de quasiment une tonne sur 20 km en très peu de temps !

Champ d'installations pétrolières près de Bakou, en Azerbaïdjan : les réserves de pétrole devraient bientôt commencer à s'épuiser.

La pénurie pour nous sauver?

L'épuisement prévisible des réserves d'hydrocarbures suffira-t-il à nous mettre à l'abri des pires conséquences du réchauffement? Hélas, non.
Tous combustibles confondus, les réserves sont en effet estimées actuellement à 4 000 milliards de tonnes d'équivalent pétrole, ce qui suffirait à une croissance de 3 % de nos émissions (c'est-à-dire la prolongation du rythme actuel) durant tout le XXIe siècle. Nous serions alors probablement à des niveaux de CO_2 atmosphérique supérieurs aux pires scénarios du GIEC, c'est-à-dire face à un changement climatique très brutal... avec très peu d'énergie fossile en réserve pour prendre des mesures d'adaptation! La logique, au contraire, serait d'investir l'essentiel de notre « capital fossile » pour préparer la transition vers des énergies propres...

De plus, il s'agit d'une énergie facile à stocker et à transporter, deux vertus précieuses. La contrepartie est que l'utilisation des hydrocarbures génère d'importantes quantités de déchets, dont un certain nombre est nocif pour la santé publique (particules, oxydes d'azote), et d'autres pour l'atmosphère (dioxyde de carbone). Une tonne d'équivalent pétrole de gaz naturel émet ainsi 651 kg d'équivalent carbone. Ce chiffre monte à 830 kg pour l'essence, et à 1 123 en moyenne (il y a des qualités différentes) pour le charbon.

Des énergies fossiles toujours plus sales

L'absolue domination des hydrocarbures dans notre consommation énergétique est-elle au moins en train de s'affaiblir, voire de s'inverser? Nullement. Certes, la consommation d'énergies renouvelables est en augmentation, mais c'est également le cas de toutes les énergies fossiles! Plus préoccupant encore, le charbon – qui est presque 50 % plus émetteur que le pétrole et 100 % plus que le gaz naturel – continue à être consommé de plus en plus, même si l'augmentation des autres hydrocarbures est encore plus débridée. Et la puissance actuellement émergente qu'est la Chine dispose d'importantes réserves de charbon, alors même que l'instabilité du monde semble compliquer l'accès aux bons gisements de pétrole. Enfin on notera qu'il reste, même si l'estimation est grossière, 7 fois plus de charbon que de gaz et 5 fois plus que de pétrole dans le sous-sol terrestre. Continuer à dépendre des hydrocarbures nous conduira donc tout droit vers la consommation de combustibles toujours plus émetteurs par unité d'énergie recueillie, c'est-à-dire précisément l'inverse de ce qu'il faudrait. D'autant plus que les pétroliers, très logiquement, ont commencé par cueillir les fruits des branches basses, c'est-à-dire à extraire les gisements les plus accessibles et de meilleure qualité. À mesure qu'il faudra exploiter des poches plus petites, plus profondes ou reculées, et constituées de pétroles moins énergétiques, les émissions par unité d'énergie recueillie seront de plus en plus importantes.

Préparer la transition

Enfin et surtout, même si l'on considère qu'il reste des hydrocarbures à découvrir, il nous faut dès maintenant estimer le stock total d'énergies fossiles comme étant fini, équivalent à 40 ans de consommation environ pour le pétrole et le gaz et au double pour le charbon. Ce stock est suffisant pour porter le carbone atmosphérique à des niveaux très élevés, générant un risque majeur. En même temps, 40 ans est un délai très rapide : les enfants d'aujourd'hui assisteront à un enchérissement dramatique du pétrole et du gaz naturel. Le faible nombre d'années nous séparant de cette échéance implique que nous devions dès maintenant préparer la transition vers une économie non carbonée.

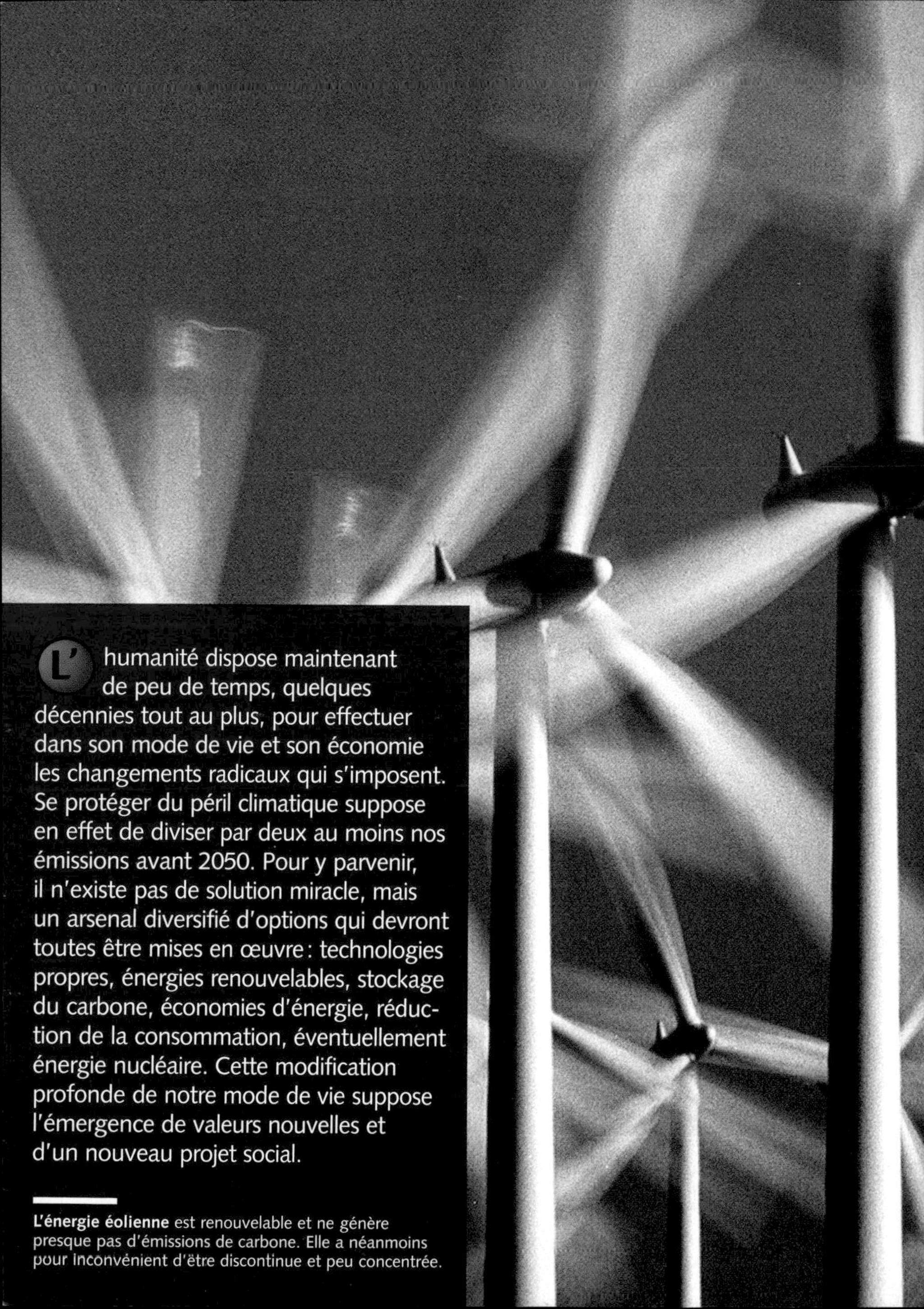

L'humanité dispose maintenant de peu de temps, quelques décennies tout au plus, pour effectuer dans son mode de vie et son économie les changements radicaux qui s'imposent. Se protéger du péril climatique suppose en effet de diviser par deux au moins nos émissions avant 2050. Pour y parvenir, il n'existe pas de solution miracle, mais un arsenal diversifié d'options qui devront toutes être mises en œuvre : technologies propres, énergies renouvelables, stockage du carbone, économies d'énergie, réduction de la consommation, éventuellement énergie nucléaire. Cette modification profonde de notre mode de vie suppose l'émergence de valeurs nouvelles et d'un nouveau projet social.

L'énergie éolienne est renouvelable et ne génère presque pas d'émissions de carbone. Elle a néanmoins pour inconvénient d'être discontinue et peu concentrée.

Relever le défi climatique

Objectif : moitié moins d'émissions

Pour avoir une chance raisonnable que le réchauffement ne dépasse pas 2 °C, au-delà de quoi le risque serait majeur, il nous faut rapidement réduire nos émissions de moitié.

Diviser nos émissions par deux

Nous avons vu que les milieux naturels absorbent (pour l'instant) un peu plus de 3 Gt d'équivalent carbone par an. Il nous faut donc ramener nos émissions à ce chiffre pour

cesser d'enrichir l'atmosphère en CO_2, c'est-à-dire pour stabiliser les concentrations de ce gaz. C'est qu'il ne faut pas confondre stabilisation des émissions et stabilisation des concentrations ! Si nous stabilisons les émissions au niveau actuel, les concentrations atmosphériques continueront à croître dangereusement…
Ce qu'il faut, c'est, au plus tôt, diviser les émissions mondiales de moitié environ – et celles des pays de l'OCDE par 6 en moyenne (12 pour les États-Unis), si l'on veut respecter l'équité. Ce sont là des chiffres véritablement énormes, qu'il est exclu d'atteindre en continuant à vivre de la même façon avec quelques petits changements à la marge. Croire qu'il suffira d'acheter des ampoules basse tension et de poser des doubles vitrages pour se tirer d'affaire est absurde. Seul un véritable bouleversement social peut contenir le bouleversement climatique dans des limites supportables.

Sortir de la zone de danger

Même en supposant une volonté politique forte, qui pour l'instant ne s'est manifestée pratiquement nulle part, cet objectif ne pourra être atteint qu'en plusieurs années. Et, tant qu'il ne sera pas atteint, le taux de CO_2 atmosphérique poursuivra son ascension. Cela a une conséquence majeure : plus nous commençerons nos efforts tard, plus ces efforts devront être importants, et plus grand est le risque auquel nous nous exposons. Car l'objectif de stabiliser la concentration atmosphérique n'est qu'une étape intermédiaire : le but véritable est de sortir l'humanité de la zone de danger climatique, donc d'avoir des taux de gaz à effet de serre dans l'atmosphère qui nous exposent le moins possible. Stabiliser est certes indispensable, encore faut-il définir à quelle hauteur, et en combien de temps. Stabiliser trop tard ou – ce qui revient au même – à un niveau trop élevé peut très bien s'avérer insuffisant…

Le glacier du Kilimandjaro est en rapide régression, comme de nombreux glaciers des Alpes, de l'Himalaya et du continent nord-américain.

L'épineuse question du seuil

La question du niveau de réchauffement que la planète peut tolérer avant que des évolutions incontrôlables et catastrophiques ne se produisent est en réalité particulièrement épineuse.
C'est que les carottes glaciaires nous informent que, depuis plus de 750 000 ans, le taux de dioxyde de carbone dans l'air n'avait jamais dépassé 300 ppmv, alors qu'en 2005 il avait déjà atteint 380 ppmv. Nous sommes donc d'ores et déjà dans une configuration sans précédent connu,

Négocier avec le climat?

Dans le monde actuel, en économie comme en politique, la plupart des litiges se résolvent par des négociations où les différents protagonistes font des concessions correspondant au rapport de force qu'ils entretiennent. Tout se passe comme si les décideurs appliquaient, plus ou moins inconsciemment, cette façon de procéder aux problèmes d'environnement. Certes, dans une logique marchande, si chaque année la société veut augmenter les émissions de 3 % alors que le système climatique nécessite une baisse de 3 %, stabiliser les émissions peut sembler un compromis équitable. Hélas, la physique de l'atmosphère n'est pas un partenaire commercial: si nous ne respectons pas ses exigences, elle risque de libérer des forces auxquelles nous serons incapables de résister.

ce qui affaiblit nos capacités de prédiction et d'anticipation. Il est possible, par exemple, que nous ayons déjà dépassé, sans même nous en apercevoir, tel ou tel seuil critique, ce qui provoquera d'ici à quelques décennies un ajustement brutal et imprévu. Il faut en effet garder à l'esprit le décalage temporel considérable qui existe entre nos actions et leurs effets globaux: le climat est un système qui a une imposante inertie. Un décalage de quelques décennies entre une cause et des effets doit être considéré comme la norme. C'est bien pour cette raison qu'il sera trop tard si nous commençons à agir seulement lorsque les dommages climatiques seront manifestes.

Pas plus de 2 °C

De très nombreux travaux récents semblent indiquer que des dommages importants commenceront à se produire même si le réchauffement global n'excède pas 1,5 ou 2 °C, que ce soit en matière d'agriculture mondiale, de santé des écosystèmes ou de ressource en eau, entre autres. Ainsi, le blanchissement du corail devrait commencer dès un degré supplémentaire; la fonte de la calotte glaciaire groenlandaise (provoquant une hausse importante du niveau de la mer) devient possible à partir de 1,5 °C; et, à partir de 3 °C, des changements majeurs, tels que la fonte des calottes antarctiques ou l'arrêt de la circulation thermohaline, entrent dans le domaine du probable.

Raisonnement probabiliste

À quel niveau de CO_2 atmosphérique ce seuil de un à deux degrés supplémentaires sera-t-il atteint? Les incertitudes de la modélisation deviennent ici perceptibles. À cause des multiples rétroactions évoquées au début de cet ouvrage, donner des équivalences mécaniques entre émissions et températures n'est pas un exercice facile. Plusieurs articles publiés en 2005 indiquent que, compte tenu des marges d'erreur, limiter le réchauffement à 2 °C avec une probabilité élevée suppose de maintenir le CO_2 atmosphérique en dessous de la barre des 400 ppmv. Si l'on est prêt à se satisfaire d'une probabilité plus faible, on peut accepter 550 ppmv, c'est-à-dire en gros le double de la concentration préindustrielle. Le GIEC, quant à lui, semble recommander le chiffre intermédiaire de 450 ppmv. Or l'Agence internationale de l'énergie (AIE), dans un rapport daté de 2004, prévoit que, dès 2050, les

LEXIQUE

[Rétroaction]
Processus agissant en retour sur le phénomène qui lui a donné naissance. On parle de rétroaction positive lorsque ledit phénomène est renforcé: ainsi le réchauffement augmente l'évaporation, qui en retour aggrave le réchauffement (la vapeur est un gaz à effet de serre). Les rétroactions peuvent également être négatives.

Le ferroutage, ou transport des camions par rail, est une pratique très prometteuse dans le cadre de la protection de l'environnement. Mais sa généralisation suppose des investissements importants, que, pour l'instant, peu d'États ont engagés.

concentrations de CO_2 auront augmenté de 63 % par rapport à leurs niveaux actuels, c'est-à-dire qu'elles dépasseront les 600 ppmv. C'est dire à quel point, sans intervention volontariste, nous serons rapidement dans la zone de danger.

Près de un Kyoto par an ?

Même s'il est difficile d'avancer des estimations chiffrées, il semble en tout cas qu'il n'y a point de salut en dehors d'une inflexion très rapide à la baisse de nos émissions. Les modélisateurs suggèrent qu'elles devraient atteindre leur point le plus haut avant 2015 ; qu'il faudrait ensuite organiser une décroissance rapide de celles-ci, de façon à les réduire d'au moins 50 % avant 2050. Pour donner une idée de l'effort à accomplir, rappelons que diviser par un nombre allant de quatre à six les rejets atmosphériques d'un pays d'ici à 2050 (ce qui serait l'objectif des pays de l'OCDE) suppose une réduction annuelle proche de 5 % pour les cinq prochaines décennies. Cela signifie réussir chaque année plus que l'objectif du protocole de Kyoto… pour une période de 12 ans.

Le protocole de Kyoto

Signé en 1997, ce texte prévoit que les pays développés signataires devront réduire de 5 % leurs émissions dans la période 1990/2010. Un timide mais important premier pas.

Des débuts remontant à 1992

Le protocole de Kyoto est le seul traité international contraignant qui se rapporte au problème du climat. Il trouve son origine dans le Sommet de la Terre, qui s'est tenu à Rio de Janeiro en juin 1992. C'est là qu'a été lancée la Convention cadre des Nations unies sur le changement climatique, un texte fixant pour objectif de « stabiliser les concentrations de gaz à effet de serre dans l'atmosphère à un niveau qui empêche toute perturbation anthropique dangereuse du système climatique ». Aujourd'hui, pratiquement tous les pays du monde, États-Unis inclus, sont signataires de cette convention.

Un objectif de principe ambitieux

À vrai dire, cet objectif est déjà hors de notre portée : les concentrations de CO_2 atmosphérique sont depuis longtemps à un niveau dont personne ne peut affirmer avec certitude qu'il n'est pas dangereux. Néanmoins, il est réjouissant que cette ambition ait fait l'objet d'une large approbation : cela indique au moins qu'il y a consensus parmi les États du monde sur les dangers de l'effet de serre et sur la nécessité d'une action pour s'en protéger. Pour organiser l'action, le Sommet de la Terre a prévu qu'auraient lieu des conférences périodiques des pays signataires. C'est l'une d'entre elles, qui eut lieu en décembre 1997 à Kyoto, qui donna naissance au protocole du même nom. Ce traité, qui contient des objectifs chiffrés et un calendrier, est entré en vigueur en février 2005 seulement, consécutivement à la signature de la Russie quelques mois auparavant. Il n'est toujours pas signé par les États-Unis, qui sont donc dans une situation curieuse, puisqu'ils partagent les objectifs définis en 1992… mais qu'ils refusent les mesures concrètes décidées pour les atteindre.

Un progrès dérisoire ?

L'objectif du protocole est de réduire, avant la période 2008-2012, d'au moins 5 % les émissions globales par rapport à leur niveau de 1990. Cette obligation ne concerne en fait que les pays industrialisés et ceux de l'ancien bloc de l'Est (les autres sont pour l'instant libres d'émettre ce qu'ils désirent). Il saute aux yeux que les objectifs de Kyoto sont très en deçà de ce qu'il faut pour nous mettre à l'abri du risque climatique : il ne s'agit pas de réduire de 5 % nos émissions sur 20 ans, mais de les diviser par deux le plus tôt possible ! L'interminable feuilleton diplomatique autour de sa ratification, malgré ce caractère peu contraignant, n'est en outre pas de bon augure. Plus grave encore, à mesure que nous approchons de la période d'expiration des engagements de Kyoto,

LEXIQUE

[Anthropique]
Imputable à l'homme.

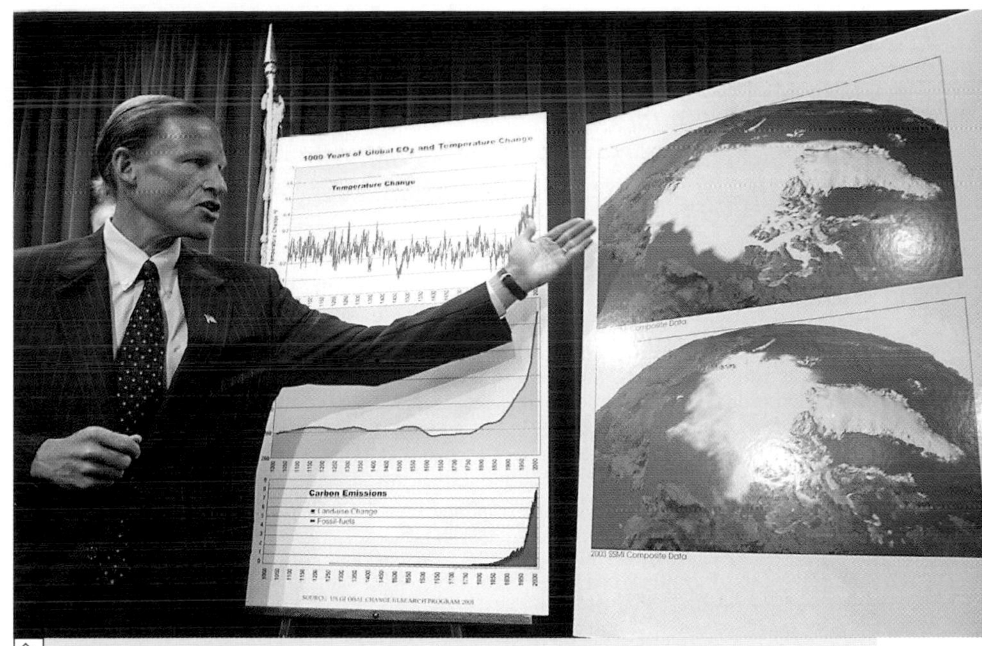

Huit États américains ont intenté un procès pour pollution (ici, la plaidoirie de l'avocat général) aux cinq compagnies les plus émettrices du pays, toutes productrices d'électricité à partir d'hydrocarbures.

il semble manifeste que les objectifs du protocole ne seront pas atteints par les États signataires. On peut néanmoins considérer que ce texte a permis une prise de conscience mondiale du défi climatique, et espérer qu'il sera le point de départ d'une inflexion générale de l'économie mondiale.

L'après-Kyoto

Il est désormais vital que les États-Unis prennent la place qui devrait être la leur dans la lutte contre l'effet de serre : la première. Comment demander des sacrifices aux pays pauvres si le plus riche refuse d'en faire ? De plus, ils sont aujourd'hui le premier pays émetteur, la plus grande puissance scientifique et technologique de la planète. Sans leur concours, il est douteux que le succès soit possible. Ensuite, il faut une prise de conscience des pays en développement, qui représentent 40 % des émissions de la planète, et qui dépasseront les pays riches vers 2025. Ces pays sont généralement conscients de la nécessité de protéger l'environnement, mais ils sont confrontés à la nécessité de sortir du sous-développement des millions de leurs citoyens. Si les pays riches– où le revenu par tête est 10 fois supérieur au leur – ne montrent pas l'exemple, ils n'accepteront pas de faire les efforts importants qui s'imposent.

Les énergies renouvelables

Ces énergies offrent un arsenal très diversifié de solutions. Hélas, elles souffrent de limitations empêchant qu'elles ne soient facilement substituables aux hydrocarbures.

Le soleil pour base

Nous avons à notre disposition, pour subvenir à nos besoins, un grand nombre d'énergies renouvelables, qualifiées ainsi parce que leur stock se reconstitue naturellement. Le soleil en est le grand pourvoyeur : c'est son rayonnement qui génère le vent et les grands courants marins, fait pousser la biomasse, alimente les lacs de barrage en précipitations. Une exception est la géothermie, qui recueille la chaleur émise par le noyau de notre planète, mais qui est une énergie massivement utilisable seulement de façon très localisée. Le rayonnement reçu par la Terre représente environ 10 000 fois ce que l'humanité consomme en énergie. On pourrait donc penser que, avec un peu d'ingéniosité, capter une part suffisant à nos besoins ne devrait pas poser beaucoup de problèmes.

Hélas, les énergies renouvelables montrent toutes des limites (disponibilité insuffisante, intermittence, concentration énergétique faible, nécessité d'un gros apport préalable de combustibles fossiles...). Toutes énergies confondues, elles ne représentaient que 17,7 % de la consommation de la planète en 1990, et les projections leur accordent environ 27 % en 2020. Et encore, ces chiffres sont d'une certaine façon surestimés, car ils incluent le bois de feu (environ 10 %), qui n'est une énergie renouvelable que lorsque les volumes prélevés sont aussitôt replantés – ce qui est rarement le cas dans les pays du Sud. Il n'y a donc aucune source d'énergie miracle : pourtant, nous avons là un arsenal de solutions partielles qui, en fonction des situations, peut s'avérer précieux. Notamment (mais pas seulement) pour approvisionner localement des populations à l'écart des grands réseaux.

Les populations rurales du Sud

On estime à environ 2 milliards d'individus la fraction de l'humanité qui ne dispose que de biomasse (le plus souvent du bois glané) pour se chauffer et cuisiner. De nombreux systèmes pourraient être mis à la disposition de ces populations, comme par exemple des poêles simples réduisant le gâchis énergétique qui consiste à cuisiner sur un feu ouvert (5 % des calories arrivent aux aliments).

Ont également été mis au point des systèmes de fours à miroirs qui permettent de cuire les aliments avec de l'énergie solaire, de rendre l'eau potable, voire de faire tourner une turbine générant de l'électricité.

La généralisation de tels systèmes permettrait de combattre la déforestation, qui émet des gaz à effet de serre.

Les barrages

L'hydroélectricité, avec 5,3 %, vient juste après le bois de feu en importance.

Son potentiel de développement est loin d'être illimité : elle suppose en effet l'existence de pentes et d'une pluviométrie non négligeables.

On estime qu'il serait possible d'environ quadrupler la puissance actuellement installée sur la planète, principalement dans les pays en développement et en ex-URSS (les pays industrialisés ont équipé la plupart des sites favorables).

L'énergie solaire est particulièrement adaptée aux conditions régnant dans les régions arides et pauvres : ces panneaux, financés par une ONG espagnole, permettent d'irriguer des vergers mauritaniens.

Mais la construction de barrages n'est pas sans inconvénients : risque technologique, impact écologique et social, maladies parasitaires, envasement... Tous ces facteurs doivent être soigneusement étudiés à l'avance et modélisés, afin qu'avantages et inconvénients puissent être mis en balance.

L'énergie générée par le vent

L'énergie éolienne, bien que très abondante, pose d'importants problèmes pratiques. Son aspect esthétique, que l'on pourrait croire sans importance, réduit en fait l'acceptabilité sociale de cette technique, et imposera probablement un développement considérable d'installations isolées en mer.

De plus, l'éolien est très exigeant en termes de surface : en Europe occidentale, il est difficile d'espérer plus de 20 GW/h par km^2 grâce à cette technique, ce qui suppose de couvrir de machines des parts importantes du territoire pour contribuer significativement

LEXIQUE

[Solaire thermique]
Qui produit directement de l'eau chaude ; à distinguer du solaire photovoltaïque, qui génère de l'électricité.

L'énergie des marées et, plus généralement, des courants marins, constitue un gisement pratiquement inexploité. Des systèmes de turbines ancrées sur le fond des océans sont à l'étude.

à l'approvisionnement électrique. Mais le principal problème est l'irrégularité très importante de cette source, qui n'est pratiquement utilisable qu'associée soit à un dispositif de stockage dispendieux, soit à une source d'énergie complémentaire, permettant d'apporter l'énergie manquante les jours de faible disponibilité.
Or cette source est généralement... une centrale thermique ! C'est ainsi que le premier pays mondial pour l'éolien, le Danemark, est aussi un des plus gros émetteurs européens de gaz à effet de serre...

La fausse bonne idée des biocarburants

L'idée de fabriquer du carburant pour véhicules avec des plantes est récemment revenue à la mode. Mais il s'avère que c'est une solution qui crée bien plus de problèmes qu'elle n'en résout. En effet, il semble bien que les biocarburants actuels émettent de manière indirecte autant (voir plus) de CO_2 que les produits pétroliers qu'ils remplacent (traitements industriels, consommation de fertilisants, déforestation). Plus grave encore, ces carburants induisent une hausse des prix alimentaires mondiaux, qui menace d'une tragédie les pauvres de la planète.

Le bois déchiqueté est une source d'énergie renouvelable et pratique, particulièrement dans les pays possédant des forêts étendues. Cette chaufferie danoise alimente 180 maisons.

L'énergie solaire

L'énergie solaire a sans aucun doute un bien plus fort potentiel de progression, peut-être le plus fort de toutes les énergies renouvelables. Mais le faible prix des énergies fossiles a nui à son développement, qui n'atteignait en 1990 que 0,1 % de la consommation mondiale ! Pourtant, le solaire thermique est facile à exploiter, une surface noire bien exposée absorbant jusqu'à 1 kW par mètre carré. En couvrant uniquement les villes de panneaux solaires, on peut donc en principe générer une quantité d'énergie comparable à celle que consomme un pays industrialisé. Cependant, la production d'électricité d'origine solaire, si elle est possible, nécessite un important investissement énergétique pour produire le panneau, qui ne devient rentable qu'au bout de 7 ans (et de 14 ans s'il est équipé d'une batterie !).

La biomasse

Et puis il y a la biomasse. Ce poste recouvre bien sûr le bois de feu, mais on peut également recueillir de l'énergie à partir de résidus de récoltes de toutes sortes, et aussi de boues ou de déchets secs issus de certains processus industriels.
Cette énergie peut être récupérée par combustion directe ou en faisant fermenter les matériaux, qui libèrent alors du méthane, utilisable ensuite pour d'autres usages.
Mais il faut garder à l'esprit que la photosynthèse est une opération peu efficace : seule une faible part de l'énergie solaire est stockée chimiquement par les végétaux. Du coup, ce sont des surfaces très importantes qu'il faut exploiter pour fournir une énergie significative. Et, sur notre planète de plus en plus peuplée, cela générera rapidement un conflit d'usage avec l'agriculture.

Se désintoxiquer des transports

Les émissions du transport pourraient être réduites par plusieurs stratégies, mais il faudra également limiter notre surconsommation de déplacements.

Indispensables transports en commun

La voiture individuelle, et particulièrement en ville, est un mode de déplacement extrêmement émetteur. Or la population humaine est toujours plus urbaine (le cap d'un Terrien sur deux en ville sera atteint en 2007), générant des mégapoles toujours plus nombreuses et étendues, et des villes toujours plus congestionnées. Si l'on ajoute à cela que le parc automobile mondial croît sans discontinuer, nous avons tous les ingrédients d'une évolution catastrophique. Il est donc urgent de développer un réseau de transports en commun mondial suffisamment dense, confortable et bon marché pour pouvoir être attirant. Ces questions doivent être anticipées au maximum, car, lorsque des investissements lourds ont été effectués au profit d'un mode de transport, il est très difficile d'y renoncer. Or on voit aujourd'hui le réseau routier croître plus vite que le réseau ferré, tandis que de nouveaux aéroports se construisent sans cesse – même dans des pays se disant en lutte contre le réchauffement climatique ! Cette évolution est très préoccupante, car elle engage l'humanité pour plusieurs décennies...

Hydrogène et biocarburants

Mais ne pourrait-on pas utiliser des carburants « verts » à la place des hydrocarbures ? L'hydrogène, souvent évoqué comme carburant du futur, est très loin d'être aussi concentré en énergie que le pétrole. Il faut le comprimer très fortement pour que les véhicules aient une autonomie un tant soit peu satisfaisante, ce qui consomme... de l'énergie ! Et puis l'hydrogène doit être fabriqué, car il n'existe pas à l'état naturel, et ce processus consomme aussi beaucoup d'énergie, souvent fossile.

Quant aux biocarburants, issus du végétal, ils sont loin de constituer une solution idéale. La photosynthèse ne convertit le rayonnement solaire en énergie chimique qu'avec une faible efficacité. Une fois les plantes (colza, blé, betteraves, canne à sucre...) récoltées et broyées, il faut distiller et raffiner le produit de la récolte. Toutes ces étapes génèrent des pertes de rendement et consomment de l'énergie. Une énergie souvent constituée... d'hydrocarbures, une fois de plus, car il ne faut pas oublier que ces plantes sont issues de l'agriculture industrielle, donc très consommatrices en fertilisants et pesticides, sans parler du carburant qui anime les tracteurs et les moissonneuses-batteuses. Bref, il faudrait le double des surfaces cultivées mondiales, selon certains calculs, pour permettre au parc automobile actuel de rouler...

LEXIQUE

[Hydrocarbure]
Molécule composée uniquement de carbone et d'hydrogène, très riche en énergie.

Organiser la réduction de nos déplacements

En réalité, il apparaît peu probable, crise climatique ou pas, que notre niveau très élevé de déplacement perdure, car il sera inévitablement enrayé – tôt ou tard – par l'épuisement des réserves de pétrole, s'il ne l'est pas par des mesures politiques.
À terme, il est donc probable que l'humanité se déplacera moins, ou en tout cas plus lentement, et que les carburants devenus précieux seront principalement attribués aux services d'urgence. Mais il y a un enjeu du point de vue climatique : il est impératif d'anticiper et d'organiser cette évolution, pour éviter de brûler la totalité des hydrocarbures disponibles en un temps très court. Si d'aventure nous prolongions les courbes actuelles de consommation de combustibles, nous arriverons à des taux de carbone atmosphérique quatre fois supérieurs à la normale...

La reconversion de nos systèmes de transports vers des technologies moins émettrices de CO_2, une priorité urgente, est aujourd'hui à peine ébauchée (ici, tramway et vélo à Leipzig, en Allemagne).

Enfouir le CO_2

Des recherches se sont menées activement sur la possibilité de stocker le CO_2 pour l'empêcher de réchauffer la planète. Une solution partielle qui aurait divers avantages.

Quelques très gros émetteurs

S'il est pratiquement impossible de capturer de nouveau le CO_2 une fois qu'il a été émis, les scientifiques travaillent depuis longtemps sur différentes techniques qui permettraient d'empêcher qu'il ne gagne l'atmosphère.
Certes, les émissions des véhicules à moteur ou de la petite industrie sont trop diffuses pour pouvoir être captées. Mais environ la moitié des rejets planétaires de gaz carbonique sont très localisés : ce sont ceux de gros émetteurs, tels que les raffineries, les centrales thermiques, les cimenteries, et quelques industries particulières.
En principe, rien ne s'oppose à ce que le CO_2 émis par ces installations soit capté, éventuellement séparé des autres produits de combustion, et ensuite dirigé vers un lieu de stockage.

Sous la terre ou sous la mer ?

Mais quel lieu de stockage ? Deux grandes catégories de pistes sont actuellement explorées par les scientifiques. La première est l'injection dans des couches géologiques étanches où le gaz carbonique resterait durablement.
On envisage ainsi d'utiliser des gisements de gaz naturel ou de pétrole en fin d'exploitation (le CO_2 pourrait même alors servir à « chasser » les hydrocarbures pour faciliter leur extraction), des couches de sel, des nappes d'eau souterraines, etc.
Il existe d'ores et déjà quelques sites où cela se pratique de façon expérimentale, aux États-Unis et en mer du Nord notamment.
La deuxième possibilité est de stocker le CO_2 dans les grands fonds océaniques.
En faveur de cette idée, on peut invoquer le fait qu'au terme de quelques siècles, plus de 80 % du carbone rejeté dans l'air finira dans les eaux océaniques, par dissolution.
En outre, l'océan est un réservoir beaucoup plus grand que l'atmosphère : y rejeter autant de CO_2 qu'il y en a actuellement dans l'air ne modifierait sa composition que de 2 %.
Enfin, les scientifiques estiment que en stockant le gaz carbonique à grande profondeur, celui-ci resterait dans le fond, car il deviendrait plus dense que l'eau de mer : au-delà de 3 000 m, les modèles indiquent que seulement 2 % du volume injecté pourraient regagner l'atmosphère. Cette possibilité se heurte néanmoins à des considérations écologiques : on ne sait pas bien comment l'océan réagirait à pareil déversement, qui provoquerait, au moins localement, une acidification de l'eau. L'incertitude est d'autant plus grande que les écosystèmes des grands fonds sont particulièrement fragiles.

LEXIQUE

[Centrale thermique]
Usine génératrice d'énergie électrique, qui met en œuvre un combustible fossile (fioul, par exemple) pour produire de la vapeur d'eau faisant fonctionner des turboalternateurs.

L'océan mondial absorbe une proportion importante du dioxyde de carbone émis par les activités humaines. Sa capacité à le faire risque néanmoins de s'affaiblir à l'avenir, notamment parce qu'il se réchauffe.

Un coût certain

Ces deux options de stockage, continentale et océanique, ont néanmoins en commun d'avoir un coût important : jusqu'à 300 dollars la tonne de CO_2 d'après les autorités américaines (qui se fixent pour objectif de descendre sous 10 dollars la tonne...).
Car, une fois le CO_2 capté et mis sous pression, il reste à l'acheminer jusqu'à un lieu de stockage adéquat, le plus souvent très éloigné (notamment pour ce qui est des grands fonds marins !), avant de l'injecter.
On estime que l'électricité produite à partir de charbon (l'une des principales applications pour ce type de technique) verrait par exemple son prix augmenter d'environ un tiers s'il fallait y inclure le prix du stockage. Il reste que, une fois les obstacles techniques résolus, il y aura peut-être là une piste non négligeable de réduction d'émissions – du moins lorsque nous serons sortis de la phase expérimentale. Hélas, la plupart des spécialistes s'accordent à penser que, même si tous les problèmes sont résolus, il faudra au moins 20 ans à ces technologies pour commencer à sortir de la marginalité.

Technologie et train de vie

La technologie peut être un outil puissant contre le réchauffement, dont il faut faire bénéficier les pays pauvres. Mais elle ne peut pas tout : une réduction de la consommation est inévitable.

Améliorer la production d'énergie

Il existe un très grand nombre de pistes technologiques pour économiser de l'énergie et ainsi tirer vers le bas nos émissions. D'abord, on l'a vu, il faut s'efforcer de substituer aux sources les plus émettrices d'autres qui le sont moins. Même au sein des énergies fossiles, le remplacement d'un processus au charbon par un autre au gaz naturel divise les émissions quasiment par deux.
De plus, on peut améliorer l'efficacité de la production d'énergie. Il existe par exemple des systèmes de récupération de chaleur (cogénération) qui accroissent sensiblement l'efficacité des centrales. Il reste que cette démarche a ses limites : le charbon est la seule énergie fossile que l'on peut encore véritablement qualifier d'abondante, et qui soit bien répartie sur la planète (des pays émergents comme la Chine et l'Inde peuvent en tirer environ 75 % de leur électricité !). Or, les techniques les plus modernes ne permettent guère d'espérer des gains supérieurs à 20 % en matière d'émissions, et encore au prix d'investissements importants.

Le recyclage

Le recyclage offre également d'importantes potentialités pour économiser l'énergie. C'est en effet la fabrication des matériaux de base qui absorbe 80 % de l'énergie consommée pour fabriquer des produits. Leur « mise en forme » définitive (s'agira-t-il d'un cadre de fenêtre ou d'une boîte de boisson gazeuse ?) n'en nécessite que 20 %. Économiser sur la première transformation est donc particulièrement intéressant : l'acier issu de minerai émet 870 kg de carbone par tonne produite, contre seulement 300 pour l'acier obtenu par recyclage. Pour l'aluminium, le chiffre est encore plus impressionnant : 670 kg par tonne produite lorsqu'il est recyclé... contre 3 000 kg s'il est issu de minerai.

La fusion

L'un des plus grands défis technologiques adressés à l'homme est sans conteste la fusion, qui est la réaction nucléaire qui se déroule dans le soleil et permet donc la vie sur terre. Cette réaction, qui libère d'immenses quantités d'énergie, ne génère pas de déchets radioactifs et ne nécessite comme matériau de base que de l'hydrogène, surabondant sur notre planète. Sa maîtrise serait donc une excellente nouvelle.
Hélas, les scientifiques ne nous la promettent pas avant 50 ans... une façon optimiste de dire qu'ils ignorent si elle sera possible un jour.

Généraliser les techniques propres

Plus généralement, l'amélioration de l'efficacité énergétique est possible dans pratiquement tous les domaines. En ce qui concerne les moteurs, de très importants gains ont déjà été réalisés.

La technologie peut aussi, parfois, servir les économies d'énergie, comme le montrent ces prototypes, engagés dans un éco-marathon : ils parcourent des milliers de kilomètres avec un seul litre d'essence (le dernier record mondial, en mai 2005, recence 3 836 km !).

Les avions actuels émettent, au kilomètre par passager transporté, 70 % de moins que leurs homologues d'il y a 40 ans. Les voitures sont également beaucoup plus sobres. Et ces progrès se poursuivront, quoique probablement à une vitesse plus lente, puisque ce sont évidemment les améliorations les plus faciles qui sont effectuées en priorité. On pense notamment à des matériaux plus légers, qui permettraient de réduire le poids des véhicules.
L'évolution est la même dans l'habitat, où les techniques d'isolation, d'éclairement, l'efficacité des chaudières et la conception thermique des bâtiments ont fait d'énormes progrès. Les experts considèrent d'ailleurs que, si l'on généralisait aujourd'hui, dans chaque domaine de la vie sociale, les techniques les plus économes, nous pourrions diviser les émissions de moitié avec exactement le même service rendu, c'est-à-dire sans modifier notre consommation.
Une telle généralisation n'est évidemment pas une mince affaire, et peut difficilement se concevoir en moins de 20 ans : il s'agit par exemple de rénover une fraction majoritaire du parc de logements en le remettant aux normes, et de renouveler une bonne part de la flotte mondiale de véhicules, pour ne rien dire des installations industrielles.
Mais elle est possible, évidemment au prix d'un investissement considérable, dont on ne peut faire l'économie, et qui sera forcément payé, au bout du compte, par les citoyens.

LEXIQUE

[Énergie fossile]
Énergie extraite de sources organiques, conservées dans des dépôts sédimentaires (charbon, pétrole, gaz naturel...).

Des améliorations qui ont un coût

Ce constat relativement optimiste mérite néanmoins un sérieux bémol. D'abord, il est peu probable que spontanément les différents acteurs sociaux mettent en place les techniques les moins émettrices. Du simple point de vue d'un particulier, optimiser l'isolation de sa maison renchérit perceptiblement celle-ci.
Certes, une partie du surcoût sera compensée par une moindre dépense énergétique. Mais il n'est pas dit que commercialement l'opération soit motivante (cela dépend du prix de l'énergie), même si elle l'est climatiquement.
Après tout, acheter un petit véhicule avec un moteur de petite cylindrée permet déjà aujourd'hui d'économiser du carburant... mais cela n'empêche pas les grosses voitures de continuer à se vendre !
Du point de vue industriel, le problème est le même : minimiser ses émissions implique souvent de produire avec un surcoût. Dans un contexte de concurrence généralisée et mondiale, il n'est pas dit que les entreprises y voient un intérêt. Si la technique promet beaucoup, il reste donc que, pour l'instant, la plupart de ces améliorations sont encore sur le papier...
En outre, bien que de très importants progrès technologiques soient encore possibles, il ne faudrait pas considérer qu'ils seront infinis. En effet, les limites physiques ne sont pas supprimées par la technologie. Ainsi une énergie minimale est nécessaire pour déplacer une certaine masse (par exemple 4 personnes et un véhicule quel qu'il soit) d'un point à un autre. On peut chercher à tendre vers cette énergie minimale, mais on ne peut passer en dessous !

Seule une faible partie de ces montagnes de boîtes en aluminium, destinées à contenir des boissons gazeuses, sera recyclée. Leur production a pourtant nécessité d'énormes quantités d'énergie...

Plus de technologie... mais moins de consommation !

Ajoutons que la technologie peut réduire considérablement nos émissions, mais à condition que nous parvenions à contenir notre consommation. Or la technologie a en général pour objectif principal de nous faire consommer plus. Ce point est une évidence souvent passée sous silence lorsqu'il s'agit de nous vendre des « voitures vertes », de l'électroménager « écologique » et autres produits « durables ».
Il faut bien entendu saluer le fait que les voitures actuelles sont capables de faire beaucoup plus de kilomètres avec un litre de carburant qu'il y a un demi-siècle, et donc d'émettre beaucoup moins.
Mais, dès lors que le parc automobile est multiplié par 15, les émissions continuent de s'accroître de façon

explosive, même avec des véhicules « propres » ! Il en va de même pour toutes nos activités et notre consommation. C'est qu'il ne faut pas se leurrer : la consommation d'objets manufacturés toujours plus nombreux et toujours plus complexes nécessite inévitablement toujours plus d'énergie, même si tous les processus sont optimisés. Économiser l'énergie, ce qui est indispensable pour réduire nos émissions, nécessitera certes de faire appel au meilleur de la technique dans tous les domaines, et de déployer une énorme inventivité.
Mais cela impliquera également de stabiliser notre impressionnante consommation de biens matériels et de services, dont l'accroissement a été incessant depuis des décennies.

Changer de mode de vie

C'est l'ensemble de nos activités quotidiennes qu'il s'agit de réexaminer à la lumière du réchauffement : un mode de vie plus sobre n'est pas moins riche, notamment au plan humain.

Changer d'alimentation

Pratiquement chaque acte de notre quotidien a un coût en émissions. Il y a donc un très grand nombre de changements pratiques que nous pouvons faire pour atténuer le risque climatique que nous faisons encourir à nos enfants. Prenons par exemple notre alimentation. En ne consommant que des denrées produites localement, et des végétaux de saison, les émissions sont considérablement réduites : manger des fraises en février signifie nécessairement qu'elles ont été produites dans une serre (vraisemblablement chauffée au fioul) ou bien qu'elles sont arrivées en avion depuis l'hémisphère Sud. L'agriculture biologique étant moins émettrice que son homologue conventionnelle d'environ un tiers, il est recommandé d'acheter « bio ».

De très importantes déperditions d'énergie (visualisées ici par une caméra à infrarouges) se produisent encore sur les maisons neuves ; elles pourraient être réduites par un durcissement des normes de construction.

La viande est très émettrice, puisqu'il faut nourrir les animaux avec des céréales issues de l'agriculture industrielle. On peut donc en réduire la part dans l'alimentation, ainsi que celle des graisses animales (beurre, yoghourt, fromages, etc.). En outre, aux viandes les plus émettrices que sont le bœuf et surtout le veau, il faut préférer la volaille, ou éventuellement le porc. Et, enfin, mieux vaut aller faire ses courses à pied à l'épicerie plutôt qu'en voiture au supermarché !

Une source inépuisable

Le vivant (bois, osier, coton, chanvre, laine, cuir, lin, caoutchouc, chaume...) a, pendant des millénaires, joué le rôle de matériau de base de l'humanité. On peut en faire des meubles, des outils, des récipients, des isolants, des jouets, des vêtements... Tout cela a été remplacé, principalement par les plastiques. Pourtant le bois, pour ne parler que de lui, aujourd'hui encore, s'avère un matériau de haute qualité pour un grand nombre d'usages de base, notamment pour la construction de bâtiments. Il est d'ailleurs souvent considéré comme plus luxueux que ses rivaux (béton, plastiques, métaux, tous très émetteurs).
Il est urgent de généraliser l'utilisation du végétal, dont l'usage consomme peu d'énergie et stocke du carbone, et de réserver les plastiques, l'aluminium et l'acier aux objets, souvent plus technologiques, pour lesquels ils sont indispensables (ordinateurs, véhicules, machines...). Cela permettrait en outre de développer le secteur forestier, en y favorisant les essences nobles.

Économiser à la maison

Chez soi, il convient de chauffer moins en hiver, chaque baisse de 1 °C de la température ambiante réduisant d'environ 7 % l'énergie consommée. En outre, il faut éviter le chauffage (et la production d'eau chaude) au fioul, qui est le plus émetteur, et s'efforcer de mettre en place un système fonctionnant au solaire ou au bois. Il faut minimiser le coût de l'éclairage (ampoules basse consommation), réduire le fonctionnement des appareils électroménagers (télévision, sèche-linge), éteindre lumières et veilleuses dans les pièces dont on est absent... Il faut aussi isoler thermiquement (double vitrage, laine de verre) et bien entendu renoncer à la climatisation (une pièce aux volets fermés voit en principe sa température s'abaisser de 7 °C en été).

Limiter transport et shopping

Il est également possible de beaucoup réduire ses émissions en jouant sur le poste « transport » : prendre les transports en commun, habiter à proximité de son travail, ou si possible télétravailler, partir en vacances en train (ou en tout cas en n'utilisant pas l'avion), utiliser au maximum la bicyclette. Les sports mécaniques (motocross, 4x4, navigation de plaisance à moteur...) sont à éliminer. Enfin sachons que le shopping a un coût climatique : il conviendrait de bannir l'achat incessant de nouveaux produits, particulièrement lorsqu'ils sont très émetteurs, ce qui est le cas de tout ce qui contient de l'électronique – mais l'industrie textile consomme de l'énergie également !

Les mêmes règles pour tous

Il ne faudrait pas croire, cependant, que lutter contre le réchauffement climatique de façon sérieuse puisse se limiter à conseiller quelques conduites « vertueuses », comme celles qui sont énumérées ci-dessus. Il est impossible de compter sur les seules conscience et bonne volonté pour prendre un tournant de l'ampleur qui s'impose. Lorsqu'il s'agit de réduire le nombre de morts sur les routes, on ne se contente pas

LEXIQUE

[Télétravailler]
Pratiquer une forme de travail à distance dans lequel le travailleur utilise, depuis son domicile, des outils informatiques et de télécommunication.

de recommander de rouler à une vitesse raisonnable : l'État fixe des limites et les fait respecter par la loi. Évidemment, une législation climatique efficace se traduira par une certaine restriction de la liberté de chacun, puisqu'il faudra participer à un effort collectif. Mais comment faire autrement ?
Un citoyen peut par exemple parfaitement accepter une limite au nombre de voyages auxquels il a droit dans l'année, s'il sait que chacun est logé à la même enseigne. Si par contre il voit ses voisins sillonner la planète, a fortiori en se gaussant de ses efforts, on peut douter qu'il reste « vertueux » longtemps... De façon générale, il saute aux yeux que l'actuelle tolérance vis-à-vis des atteintes à l'environnement, qui s'observe dans tous les domaines, de la déforestation aux marées noires, est un frein à tout changement profond des pratiques. Le message que délivrent en ce moment les autorités de presque tous les pays, en laissant chacun libre de réchauffer la planète ou pas, c'est que le problème n'est finalement pas si grave. Quelques incitations fiscales pour acheter des panneaux solaires ou des chaudières à bois ne suffiront pas à nous tirer d'affaire...

Un effort de plusieurs générations

L'effort pour atténuer notre impact climatique et, plus globalement, notre pression sur l'environnement et les écosystèmes devra par conséquent se poursuivre pendant des décennies, car, pour minimiser le danger, il faudrait en fait faire redescendre le CO_2 atmosphérique à des niveaux préindustriels. Notre quotidien en sera donc profondément transformé, avec sans doute des logements plus petits et collectifs (plus économes en matériaux et en chauffage), la disparition du concept d'objet « jetable » (très dispendieux), un recours renouvelé aux matériaux durables que les plastiques ont fait disparaître (bois, osier...), la fin de l'industrie du « packaging ».

Dématérialiser le bonheur...

Est-ce à dire que l'avenir qui nous attend sera terne, misérable, triste et sans joie ? Nullement, sauf à considérer que la seule source de bonheur est la possession d'objets toujours plus nombreux.
Stabiliser le CO_2 atmosphérique implique en gros de revenir à la consommation énergétique des années 1970 : nous sommes loin de l'âge de pierre ! Il nous restera la possibilité d'avoir une vie sociale riche, de nous occuper des affaires de la cité, à l'aide d'associations ou de partis, de communiquer, grâce à de multiples nouvelles techniques, avec tous les habitants de notre planète (certes, il ne sera peut-être plus possible de changer d'ordinateur tous les 3 ans, mais était-ce absolument nécessaire ?).
Et puis il sera possible de se cultiver, d'aller au théâtre, au concert, au cinéma, d'écouter de la musique, de regarder des films ; et aussi de faire du sport, et même de voyager – les voyages se feront seulement beaucoup plus lentement, et dureront donc plus longtemps, comme ce fut le cas jusqu'à la société industrielle.
La vie restera donc passionnante. La satisfaction de transmettre à ses enfants un monde viable et plein d'avenir ne compensera-t-elle pas la perte d'une partie de notre opulence ?

La végétalisation des immeubles, en expansion rapide dans de nombreux pays, est un moyen naturel et bon marché de rafraîchissement, qui évite les dégâts de la climatisation.

D'autres valeurs pour une autre société

C'est un nouveau projet social qu'appelle la crise climatique à venir : celui d'un monde écologiquement responsable, qui serait aussi plus solidaire, plus égalitaire et plus démocratique.

Plus riches mais pas plus heureux

« Nous sommes plus riches et plus gros, mais pas beaucoup plus heureux », affirmait récemment un rapport sur l'état de la planète signé par le *Worldwatch Institute*. Ses auteurs soulignaient que c'est exactement la même proportion d'Américains qui se déclarent heureux aujourd'hui qu'en 1957 (environ un sur trois). Pourtant, entre-temps, le revenu moyen a doublé ! De plus, la taille des maisons a augmenté de 38 % au cours des 30 dernières années, le volume des réfrigérateurs de 10 % (mais l'obésité fait des ravages !). L'ensemble du monde industrialisé a évolué dans la même direction que les États-Unis, qui en sont le chef de file : une consommation compulsive, s'accompagnant d'inégalités toujours plus vertigineuses. En même temps, on assiste à une régression des solidarités et des raisonnements collectifs au profit du repli sur soi – autrement dit à une montée de l'individualisme qui laisse chacun seul face à une société toujours plus hostile.

Un nouveau projet social

Ces considérations sont moins éloignées des problèmes climatiques qu'il n'y paraît. En effet, la lutte contre le réchauffement global est souvent présentée négativement, comme une longue liste de coûteux sacrifices nécessaires pour échapper à un sort plus tragique encore. Mais, en réalité, le mode de vie actuel de l'humanité n'a rien d'idéal, et en changer radicalement pourrait finalement s'avérer une opération des plus profitables, une sorte de salutaire effet collatéral de la nécessité de stabiliser le climat. C'est que, pour échapper au risque climatique et plus généralement pour adopter un mode de vie compatible avec les possibilités qu'offre la planète, ce ne sont pas quelques changements à la marge qu'il faut effectuer, mais un nouveau projet social qu'il faut faire émerger, porteur de valeurs différentes. Un projet qui rendrait la priorité à l'avenir sur le présent, aux enfants sur les parents, et qui permettrait peut-être, tout en lui rendant un idéal, de ressouder une humanité qui doute d'elle-même et se déchire de plus en plus.

LEXIQUE

[FAO]
Abréviation pour *Food and Agriculture Organization*, Organisation pour l'alimentation et l'agriculture (en français) ; institution spécialisée de l'ONU, créée en 1945, elle a pour but de mener une action internationale contre la faim et pour l'amélioration des conditions de vie.

La richesse, un idéal ?

Risquons quelques hypothèses, nécessairement un peu subjectives, sur les idéaux qui fonderaient un tel projet social. Il est manifeste que le culte de l'enrichissement personnel n'est pas compatible avec

Il ressort de plusieurs enquêtes d'opinion que les citoyens ont davantage conscience de la nécessité de protéger l'environnement que les hommes politiques !

une société climatiquement responsable. En effet, tant que l'objectif de la vie sociale est d'accéder à plus de richesse, donc à une consommation plus grande, c'est au fond la pollution et les pollueurs qui sont valorisés. Il est paradoxal que, dans un monde menacé par une catastrophe climatique, la possession de jets privés, de voitures surpuissantes, d'habitations somptuaires multiples, bref la jouissance d'un train de vie fastueux ne suscite aucune réprobation. Au contraire, les bénéficiaires de ces privilèges ont les honneurs des médias et des hommes politiques, et sont en général présentés comme des modèles de réussite. Et pourtant de tels excès dans la consommation menacent l'ensemble de la collectivité, et pourraient donc être aussi sévèrement considérés que, par exemple, l'usage d'alcool au volant.

Plus d'égalité

Plus généralement, il est impossible d'espérer un effort collectif de l'humanité vers un mode de vie plus sobre sans une réduction draconienne des inégalités. D'abord, car on sait que l'extrême misère éloigne des préoccupations environnementales et même de tout souci moral. Il y a ainsi aujourd'hui une proportion non négligeable de l'humanité qui vit sous le minimum protéique vital défini par la FAO. Demander à ces hommes et à ces femmes, par exemple, de renoncer à la déforestation alors qu'elle

Un durcissement du contrôle et de la répression des dommages à l'environnement (ici, des agents du WWF supervisent des coupes forestières au Gabon) est indispensable pour stopper les pratiques destructrices.

LEXIQUE

[OCDE]
Abréviation pour Organisation de coopération et de développement économique ; institution créée en 1961, regroupant aujourd'hui 30 États ; elle offre à ses membres un cadre pour analyser, élaborer et améliorer leurs politiques économiques et sociales.

est leur unique moyen de se chauffer et de se procurer des moyens de subsistance est à l'évidence illusoire. Mais, par-delà ce problème, c'est à l'échelle planétaire qu'il faut réduire les inégalités, puisque la télévision se charge aujourd'hui instantanément d'informer les plus pauvres du mode de vie des plus riches. Il est en effet aussi indécent qu'inefficace de demander des efforts de modération à un habitant d'un pays tropical, alors qu'il émet chaque année 10 fois moins de carbone que s'il vivait dans un pays de l'OCDE. Le seul scénario acceptable pour la planète est celui d'un développement rapide des pays du Sud, appuyé sur les technologies les plus économes issues des pays industrialisés, permettant ensuite un rythme de développement mondial qui serait fonction des ressources et des technologies disponibles.

La croissance pour quoi faire ?

Une société climatiquement responsable mettrait fin au culte de la croissance actuellement partagé aussi bien par les syndicats que par le patronat, par les médias que par les politiques. Les décideurs y auraient les yeux rivés non pas sur le PIB, mais sur nos émissions de gaz à effet de serre et, plus généralement, sur notre impact global sur la planète. On pourrait par exemple imaginer que les entreprises s'acharneraient à réduire non pas leurs effectifs, comme elles le font depuis des années, mais leurs émissions et leur impact sur l'environnement. Au lieu de multiplier les plans sociaux, elles mettraient périodiquement en route des « plans climatiques » en vertu desquels seraient généralisés de nouveaux procédés encore moins polluants et encore plus économes en énergie. La publicité, qui a pour objectif de nous faire consommer toujours plus, en nous donnant le sentiment que nous n'en avons jamais assez, n'aurait pas sa place dans une telle société, dont le but serait au contraire d'aider chacun à être heureux en consommant moins. Les multiples heures d'antenne qu'elle occupe, les pages de magazines qu'elle investit, les surfaces murales où elle s'étend pourraient servir à diffuser toutes sortes d'informations utiles, notamment sur les façons les plus saines, responsables et économes de vivre, de nous déplacer, de cultiver notre jardin, de nous nourrir...

Plus d'État, moins de marché ?

Le climat, et plus généralement l'ensemble des processus environnementaux, a une inertie importante et donc des temps de réaction longs. Pour prendre en compte leurs évolutions, il convient d'être capable de raisonner à longue échéance, au-delà de la décennie, à des échelles de l'ordre du demi-siècle, voire du siècle. Or l'économie de marché, si elle a permis d'impulser un progrès et un enrichissement social sans précédent dans l'histoire, n'est à l'évidence pas capable d'anticipation à de telles échelles. Dominée par la nécessité de résultats immédiats, incapable de planifier les ressources gratuites qu'offre l'environnement, elle emmène l'humanité vers une catastrophe écologique. Le marché doit donc être solidement contrôlé et réglementé par les autorités politiques, seules susceptibles d'agir pour l'intérêt général. Là est sans doute une des clés du succès, si nous voulons triompher de la crise climatique et écologique qui marquera notre siècle.

L'épineuse question du nucléaire

Le nucléaire a d'indéniables inconvénients. Mais il sera encore plus difficile de trouver une issue à la crise climatique si l'humanité s'interdit de recourir, au moins partiellement, à l'atome.

Un approvisionnement potentiel de plusieurs siècles

Le nucléaire occupe pour l'instant une place mineure dans la production énergétique mondiale : il intervient pour 6 % seulement. L'énergie nucléaire participe pour environ 20 % à la production d'électricité. Cela lui laisse une marge de progression possible très importante.
Mais ce type d'énergie n'est pas une énergie renouvelable au sens strict. En effet, les réserves mondiales d'uranium 235 (matière combustible utilisée dans les centrales nucléaires) sont actuellement à peu près équivalentes aux réserves de pétrole. Il existe néanmoins une technique, dite de surgénération, qui permet d'utiliser plusieurs autres matériaux (uranium 238 et thorium 232 par exemple) beaucoup plus abondants sur la planète. Cette technique pourrait, selon les spécialistes, être développée au prix d'un effort technologique à notre portée (contrairement à la technique de la fusion, qui pose d'autres problèmes). L'humanité disposerait alors de plusieurs siècles d'approvisionnement électrique quasi illimité.

Une énergie abondante et continue

Comme toutes les autres énergies, le nucléaire a des inconvénients et des avantages, qu'il convient non seulement de soupeser, mais aussi de comparer à ceux des énergies concurrentes. Les avantages sont importants. Les émissions en gaz à effet de serre du nucléaire sont très faibles lorsqu'on les rapporte à la puissance électrique générée : 6 g de CO_2 par kWh contre environ 1 000 pour le charbon ! Et puis l'électricité nucléaire peut être produite de manière centralisée (donc adaptée aux réseaux existants), en grandes quantités, et sans discontinuités. Cela lui confère un avantage considérable sur le solaire et l'éolien, par exemple ; en effet, pour approvisionner de façon continue des hauts-fourneaux, des hôpitaux ou des réseaux de transport ferrés, les sources que sont l'énergie solaire ou éolienne sont totalement inadaptées.

Un risque d'accident indéniable

Quels sont donc les inconvénients que représente l'usage de l'énergie nucléaire ?

Le premier concerne bien sûr le problème de la sécurité des installations, illustré par l'accident de la centrale ukrainienne de Tchernobyl, en 1986. Les attentats du 11 septembre aux États-Unis ont d'ailleurs récemment réactivé la crainte qu'une attaque terroriste ne puisse générer de nouveaux accidents de ce type.
Quelques faits permettent néanmoins de relativiser la question. Tchernobyl a sans conteste été un accident d'une grande gravité, mais, d'après les statistiques de l'OMS, il a provoqué tout au plus une quarantaine de morts, principalement parmi les « liquidateurs » chargés d'intervenir sur le site après l'explosion. Les populations irradiées ont présenté un taux accru de cancers de la thyroïde (plusieurs milliers), mais ce cancer se soigne relativement bien et n'a donc guère entraîné plus d'une dizaine de morts. En fait, dans l'état actuel des informations disponibles, on est loin des dégâts imputables à bien des accidents industriels (800 morts à Minamata au Japon avec la contamination de l'eau de mer par du mercure, 20000 à Bhopal en Inde après l'explosion d'une cuve contenant des produits chimiques). Ces accidents n'ont rien changé au fait qu'il existe en Europe plusieurs milliers de sites industriels dits « Seveso 2 », c'est-à-dire présentant un risque d'accident grave du fait de la nature des produits stockés, ainsi que de leur quantité. Ce risque industriel, qui n'a certes rien de réjouissant, est pourtant socialement accepté. Le risque nucléaire n'est pas si différent...

D'autres énergies tout aussi dangereuses

Il faut noter également que les points de concentration de l'énergie sont par essence dangereux. Un accident dans une raffinerie ou sur un barrage peut faire beaucoup de morts, comme on peut imaginer que cela peut en faire dans une centrale nucléaire.
Cette réflexion vaut également pour l'argument terroriste : un attentat sur une centrale nucléaire ne sera pas forcément plus destructeur que sur une usine chimique, un terminal pétrolier, ou même un building...
Les accidents industriels sont d'ailleurs très nombreux avec les énergies fossiles, qu'il s'agisse des marées noires qui se répètent d'année en année, ou qu'il s'agisse des milliers de morts qui sont régulièrement comptabilisés dans les mines de charbon du monde entier.
En comparaison, il est certain que le solaire et l'éolien présentent un risque beaucoup moindre : mais c'est aussi principalement... parce qu'ils fournissent moins d'énergie (ils représentent tous deux 0,2 % de la consommation mondiale à ce jour) !

Les déchets radioactifs

Le principal problème du nucléaire est probablement la question des déchets. Ce problème est bien réel, puisque, pour certains déchets, la durée de radioactivité dépasse le million d'années. Mais, là encore, tout doit être relativisé.
Prenons le cas de la France, qui est le plus nucléarisé des pays du monde (80 % de l'électricité est issue de l'atome). L'ensemble des centrales françaises génère, par an et par habitant, 1 kg de déchets faiblement radioactifs et 10 g de déchets à haute activité. Le volume total cumulé de ces derniers, depuis la mise en route de la première centrale, n'excède pas un cube de 10 m de côté. Certes, ce n'est pas négligeable. Mais, annuellement, chaque Français génère 300 kg de déchets toxiques, polluants ou corrosifs nécessitant un stockage sécurisé, dont certains perdureront plusieurs siècles – et personne ne réclame pour autant l'arrêt de l'industrie chimique !
Les hydrocarbures, de leur côté, génèrent également des déchets dont la longévité dépasse le siècle : les molécules de CO_2 lâchées dans l'atmosphère, qui vont en outre perturber le climat durant des millénaires. Ce type de déchet a de plus un inconvénient majeur, relativement à ses homologues issus du nucléaire : dès lors qu'il est libéré dans l'atmosphère, il ne peut plus être recapturé et il devient hors de contrôle. Les résidus radioactifs, par contre,

s'ils sont confinés dans des conditions satisfaisantes, et éventuellement, à terme, stockés dans des couches géologiques stables, peuvent faire l'objet d'une surveillance régulière et attentive.

Et la prolifération ?

Un autre risque fréquemment évoqué, en parallèle de ceux concernant le nucléaire civil, est celui de la prolifération, autrement dit de l'acquisition de la bombe atomique par un nombre toujours plus grand de pays, dont de petits États instables.
Ce risque existe indéniablement, mais l'on est tenté de se dire que le mal est déjà fait de ce point de vue : les pays possédant l'arme atomique sont aujourd'hui si nombreux qu'ils totalisent 80 % de l'électricité mondiale. Si cette électricité (en Chine, aux États-Unis, en Inde...) devait provenir davantage du nucléaire, cela ne changerait rien au risque de prolifération, qui est de toute façon devenu très grand depuis l'éclatement de l'Union soviétique. Ajoutons que la plupart des États « nucléarisés » ont eu la bombe... bien avant d'avoir des centrales.

L'opacité du lobby nucléaire

Dans la plupart des pays qui possèdent des centrales nucléaires, les associations et les partis environnementalistes dénoncent une tradition d'opacité de la part des responsables de cette activité. Ils déplorent que les citoyens soient rarement associés à la prise de décision, et que bien des informations ne filtrent que des années après les faits. Ils critiquent le fonctionnement en « lobby » de cette industrie et son influence dans les cercles politiques.
Là encore, la critique n'est pas dépourvue de fondement : l'industrie du nucléaire a indéniablement de sérieux progrès démocratiques à faire. Mais il convient de garder à l'esprit qu'il existe également un lobby pétrolier et gazier, et qu'à vrai dire ce dernier est infiniment plus puissant que son homologue nucléaire, ne serait-ce que parce qu'il fournit à l'échelon du monde au moins 10 fois plus d'énergie. En outre, le lobby pétrolier, par exemple, peut généralement compter sur le soutien de l'influente industrie du transport ! Enfin, il s'agit là de lobbys privés, alors que le lobby nucléaire est généralement un lobby d'État, composé de technocrates moins soumis à la nécessité de dégager du profit. Réserver toutes ses critiques au lobby nucléaire ne semble donc pas très équilibré...

Nucléaire ou hydrocarbures

Même relativisés, il est sûr que les différents risques associés à l'utilisation de l'énergie nucléaire doivent être pris au sérieux. Mais, quelle que soit l'évaluation que l'on en fait, il faut être clair sur un point : dans l'état actuel des techniques, et probablement encore pour quelques décennies, les énergies alternatives que sont le solaire et l'éolien ne seront pas en mesure de générer une part significative de l'électricité dont nous avons besoin.
Notre choix réel se situe donc bien entre électricité nucléaire et électricité issue de combustibles fossiles. Il ne peut en effet s'agir d'hydroélectricité, car, dans les pays industrialisés, cette source d'énergie n'est plus susceptible de développements significatifs ; quant à l'énergie que nous tirons de la biomasse, elle nécessiterait, pour répondre à nos besoins, qu'y soient consacrées des superficies gigantesques. Enfin, la ressource que représentent les économies d'énergie est certes indispensable ; mais il suffit de raisonner à l'échelon d'une famille pour comprendre que, même en économisant au maximum sur tous les postes (chauffage, transports, consommation...), il n'est pas simple de diviser sa facture énergétique par quatre ! Ainsi « sortir du nucléaire » signifie nécessairement pour le pays qui en prendrait la décision de remplacer l'atome... par des énergies fossiles. Ce choix peut sans doute se concevoir... mais il faut avoir l'honnêteté d'être explicite et d'en énoncer les conséquences.

Entre risque climatique et risque nucléaire

La problématique qui vient d'être posée soulève la question suivante : qu'y a-t-il de plus urgent, sortir de l'utilisation du nucléaire ou bien sortir de l'utilisation des hydrocarbures ? On entend souvent dire qu'il faudrait, pour sortir du nucléaire, développer les économies d'énergie et les sources renouvelables. Nous avons vu que cela n'est pas simple, notamment à cause de la puissance énergétique nécessaire en jeu et des problèmes d'intermittence. Mais supposons que survienne un progrès technologique inespéré nous permettant de produire beaucoup d'électricité renouvelable, ou éventuellement d'économiser une grande quantité de courant. Quelles centrales devrait-on alors fermer en priorité : les centrales nucléaires ou les centrales fonctionnant aux hydrocarbures ?

Un autre sujet du même ordre est que la Chine va doubler sa consommation énergétique entre 2001 et 2025, d'après les experts. Faut-il donc s'opposer à ce que ce pays construise de nouvelles centrales nucléaires (il a déjà l'armement nucléaire) et faut-il militer pour qu'il se dote de centrales à charbon ? Ne vaudrait-il pas mieux lui fournir la technologie adéquate, afin qu'il dispose des équipements que l'on sait être les plus sûrs ?

Enfin, une question supplémentaire se pose : alors qu'il sera à l'évidence très difficile de convaincre nos sociétés de diviser leur consommation énergétique par un facteur 2 ou 4, faut-il en outre se compliquer la tâche en demandant la suppression de l'utilisation de l'énergie nucléaire, ce qui supposera une réduction bien plus grande encore ?

En réalité, malgré l'hostilité viscérale du courant écologiste envers l'atome, aujourd'hui, la majorité des climatologues pense qu'entre le risque climatique et le risque nucléaire, c'est manifestement le premier qui porte en lui les catastrophes les plus graves. Il est paradoxal qu'en dépit de cela le mouvement « vert », le plus soucieux en principe de l'avenir de la planète, soit aussi radicalement et unanimement antinucléaire (bien que certains penseurs importants de ce courant, comme James Lovelock, l'auteur de l'hypothèse Gaïa (1), considèrent aujourd'hui le nucléaire comme un moindre mal).

La cause en est probablement que ce mouvement s'est défini dans les années 1970, à une époque où le réchauffement climatique global qui menace notre planète n'était pas connu, et dans un contexte où la menace militaire nucléaire entretenait un pacifisme militant.

Certes le nucléaire civil est loin d'être une panacée, et il ne suffira pas à nous mettre à l'abri des conséquences du réchauffement climatique si nous ne nous décidons pas à changer de mode de vie. Mais cela peut être un élément parmi d'autres d'une stratégie d'adaptation, et notamment une aide pour faciliter la transition entre notre économie actuelle, grande consommatrice d'hydrocarbures, et une économie « décarbonée ».

LEXIQUE

[Surgénération]
Production, à partir de matière nucléaire fertile, d'une quantité de matière supérieure à celle qui est consommée, et pouvant subir la fission nucléaire.

[Fusion]
Union de plusieurs atomes légers (hydrogène, deutérium, etc.) en un atome plus lourd; produite à très haute température (plusieurs millions de degrés), la fusion entraîne un grand dégagement d'énergie.

(1) Hypothèse Gaïa : du nom de la déesse grecque symbolisant la Terre. Théorie formalisée par James Lovelock, spécialiste de la science de l'atmosphère, mais déjà présente chez Johannes Kepler (astronome allemand des XVIe et XVIIe siècles) visant à considérer que la Terre, qui est un système complexe autorégulé, a de nombreuses caractéristiques d'un être vivant. La totalité de la matière terrestre vivante fonctionnerait, selon cette théorie, comme un vaste organisme, adaptant en permanence la planète à ses besoins.

Lexique

[Aérosol]
Suspension de particules très fines, solides ou, plus souvent, liquides, dans un gaz.

[Anthropique]
Imputable à l'homme.

[Aridité]
Situation où l'évaporation potentielle excède toujours les précipitations.

[Atmosphère]
Couche gazeuse constituant l'enveloppe la plus externe de la Terre et d'autres corps célestes.

[Atoll]
Île des mers tropicales formée de récifs coralliens qui entourent une lagune centrale d'eau peu profonde, le lagon.

[Banquise]
Immense étendue de blocs de glace flottante.

[Biocarburant]
Carburant obtenu à partir de végétaux (canne à sucre, oléagineux, céréales, etc.).

[Biodiversité]
Diversité des êtres vivants et de leurs caractères génétiques.

[Biomasse]
Masse vivante, considérée du point de vue de l'énergie que l'on peut en obtenir par combustion ou fermentation.

[Biosphère]
Zone rassemblant l'air, la terre, les eaux, et dans laquelle évoluent des êtres vivants.

[Biotope]
Milieu terrestre ou aquatique abritant des espèces vivantes.

[Calotte glaciaire]
Masse de glace et de neige recouvrant les régions polaires et le sommet de certaines montagnes.

[Carbone]
Corps simple non métallique se présentant sous forme moléculaire, cristallisée (diamant, graphite) ou non cristallisée (anthracite, houille).

[Carbone (dioxyde de)]
voir Dioxyde de carbone

[Carbone (équivalent)]
voir Équivalent carbone

[Carbonique (gaz)]
voir Dioxyde de carbone

[Carotte (de glace)]
Échantillon cylindrique (de glace) prélevé en profondeur au moyen d'un carottier.

[Centrale thermique]
Usine génératrice d'énergie électrique, qui met en œuvre un combustible fossile (fioul, par exemple) pour produire de la vapeur d'eau faisant fonctionner des turboalternateurs.

[CFC]
Abréviation pour chlorofluorocarbures ; gaz de synthèse fabriqués à partir de méthane, d'éthane ou d'éthylène, et de propène. Les CFC sont impliqués dans l'altération de la couche d'ozone.

[Chaos (théorie du)]
voir Théorie du chaos

[Chlorofluorocarbure]
voir CFC

[Climat]
Combinaison des états de l'atmosphère (température, vent…) en un lieu donné et sur une période définie (mois, année, millénaire).

[Climatologie]
Science ayant pour objectif la description, le classement et l'explication de la répartition et de l'histoire des différents types de climats.

[Cycle de l'eau]
Ensemble de la circulation de l'eau entre les différents réservoirs planétaires.

[Cyclone tropical]
Perturbation atmosphérique tourbillonnaire, accompagnée de vents très puissants et de fortes pluies, qui se forme sur les océans de la zone intertropicale.

[Désertification]
Transformation d'une région en désert.

[Dioxyde de carbone]
Gaz (CO_2) résultant de la combinaison du carbone avec l'oxygène (*syn.* : gaz carbonique).

[Eau (cycle de l')]
voir Cycle de l'eau

[Écologie]
Science des relations d'une espèce vivante avec son milieu, et avec les autres espèces vivantes.

[Écosystème]
Ensemble constitué par un milieu (le biotope) et tous les organismes vivants qui en dépendent.

[Effet de serre]
Phénomène de réchauffement des basses couches de l'atmosphère terrestre induit par des gaz (dioxyde de carbone notamment) qui les rendent opaque au rayonnement infrarouge émis par la Terre.

[Effet de seuil]
Capacité qu'ont certains systèmes à changer radicalement d'état, d'une façon généralement peu réversible, à partir d'une modification infime des conditions initiales.

[El Niño]
Phénomène océanique caractérisé par un réchauffement anormal des eaux de surface du

centre et de l'est du Pacifique, en particulier le long des côtes peruviennes.

[Énergétique]
Relatif à l'énergie, aux sources d'énergie.

[Énergie fossile]
Énergie extraite de sources organiques, conservées dans des dépôts sédimentaires (charbon, pétrole, gaz naturel…).

[Ensoleillement]
Rayonnement solaire ; durée pendant laquelle le soleil a brillé (*syn.* : insolation).

[Éolienne]
Machine utilisée pour capter l'énergie du vent.

[Équivalent carbone]
Unité qui exprime l'effet « réchauffant » comparé des différents gaz à effet de serre en prenant en compte à la fois leur longévité et leurs propriétés optiques.

[Érosion]
Ensemble des actions externes des agents atmosphériques, des eaux, des glaciers, etc., qui provoquent la dégradation du relief.

[Extinction (d'espèce)]
Disparition totale de tous les individus d'une espèce donnée.

[FAO]
Abréviation pour *Food and Agriculture Organization*, Organisation pour l'alimentation et l'agriculture (en français) ; institution spécialisée de l'ONU, créée en 1945, elle a pour but de mener une action internationale contre la faim et pour l'amélioration des conditions de vie.

[Ferroutage]
Mode de transport des marchandises qui consiste à mettre les camions sur des trains aménagés à cet effet.

[Fossile (énergie)]
voir Énergie fossile

[Gaz carbonique]
voir Dioxyde de carbone

[Géothermie]
Utilisation de l'énergie issue de la chaleur des profondeurs terrestres.

[GIEC]
Abréviation pour Groupe intergouvernemental sur l'évolution du climat. Fondé en 1986 par l'Organisation météorologique mondiale (OMM) et par le Programme des Nations unies pour l'environnement (PNUE), ce groupe de travail d'une centaine de scientifiques de 170 nationalités différentes fournit des rapports qui résument l'état des connaissances scientifiques sur le climat à un instant donné.

[Glaciation]
Époque géologique marquée par une extension des calottes glaciaires vers les basses latitudes et des glaciers montagnards vers les vallées.

[Hydroélectricité]
Énergie électrique obtenue à partir de l'énergie hydraulique des rivières et des chutes d'eau.

[Hydrocarbure]
Molécule composée uniquement de carbone et d'hydrogène, très riche en énergie.

[Inféodé(e)]
Se dit d'une espèce adaptée à un cadre de vie spécifique.

[Infrarouge]
Se dit du rayonnement électromagnétique de longueur d'onde comprise entre 0,8 et 1 micromètre.

[Infrastructure]
Ensemble des équipements économiques et techniques d'un pays, réseaux de transport, d'énergie, etc.

[Insolation]
voir Ensoleillement

[Mangrove]
Forêt amphibie à palétuviers, qui se développe sur le littoral des côtes vaseuses dans les régions tropicales.

[Mégalopole (ou mégapole)]
Très grande agglomération urbaine ou ensemble de grandes villes voisines.

[Météorologie]
Science de l'atmosphère étudiant les états de l'atmosphère, dans l'objectif principal d'établir des prévisions du temps.

[Méthane]
Gaz très léger issu de la décomposition de la matière organique, constituant essentiel du gaz naturel. Dans les cinquante dernières années, sa teneur dans l'atmosphère a triplé.

[Micro-organisme]
Être vivant microscopique (bactérie, champignon unicellulaire, virus, etc.).

[Mousson]
Vent tropical régulier qui souffle en alternance de la terre vers la mer et de la mer vers la terre (6 mois dans chaque direction).

[Modèle]
Représentation simplifiée ou numérisée de l'atmosphère et de ses propriétés, dont l'objectif est la prévision météorologique ou les simulations climatiques.

[Nappe phréatique]
Accumulation d'eau souterraine résultant de l'infiltration d'eau de pluie.

[OCDE]
Abréviation pour Organisation de coopération et de développement économique ; institution créée en 1961, regroupant aujourd'hui 30 États ; elle offre à ses membres un cadre pour analyser, élaborer et améliorer leurs politiques économiques et sociales.

[OMS]
Abréviation pour Organisation mondiale de la santé ; organisation internationale créée en 1946 ; cette institution spécialisée de l'ONU a pour but de faire accéder tous les peuples au niveau de santé le plus élevé possible.

[Opportuniste]
Se dit en particulier d'une espèce qui s'adapte bien aux circonstances du moment.

[Ozone]
Gaz constitué de molécules à 3 atomes d'oxygène (formule O_3), qui se forme principalement entre 20 et 30 km d'altitude, par dissociation de l'oxygène gazeux (O_2) sous l'effet du rayonnement solaire.

[Paléoclimatologie]
Science des climats du passé.

[Pergélisol]
voir Permafrost

[Permafrost]
Partie profonde d'un sol soumis au gel (gélisol), minérale et gelée en permanence (*syn.* : pergélisol).

[Pluviométrie]
Répartition des pluies dans l'espace et le temps.

[Pollution]
Dégradation d'un milieu naturel par des substances chimiques, des déchets industriels ou ménagers.

[Ppbv]
voir Ppmv

[Ppmv]
Abréviation pour « parties par million en volume ». Donc 1 ppmv équivaut à 0,0001 %, donc 1 cm^3 du gaz par m^3 d'air. Pour les gaz plus rares, on parle de ppbv, parties par milliard (en anglais *billion*) en volume.

[Précipitations]
Ensemble des hydrométéores, liquides ou solides, en provenance de l'atmosphère ; ensemble des processus allant de la condensation de la vapeur d'eau à la chute d'hydrométéores.

[Radiation]
voir Rayonnement

[Rayonnement]
Processus de transport d'énergie sous forme de particules ou d'ondes électromagnétiques ou acoustiques (*syn.* : radiation).

[Réserve]
On désigne ainsi les hydrocarbures qui n'ont pas encore été extraits du sous-sol. Leur évaluation, techniquement difficile et politiquement sensible, fait l'objet de débats.

[Rétroaction]
Processus agissant en retour sur le phénomène qui lui a donné naissance. On parle de rétroaction positive lorsque ledit phénomène est renforcé : ainsi le réchauffement augmente l'évaporation, qui en retour aggrave le réchauffement (la vapeur est un gaz à effet de serre). Les rétroactions peuvent également être négatives.

[Serre (effet de)]
voir Effet de serre

[Solaire thermique]
Qui produit directement de l'eau chaude ; à distinguer du solaire photovoltaïque, qui génère de l'électricité.

[Spéciation]
Apparition de différences génétiques, morphologiques, physiologiques, etc... entre deux populations d'une même espèce, entraînant leur séparation en deux espèces distinctes.

[Télétravailler]
Pratiquer une forme de travail à distance dans lequel le travailleur utilise, depuis son domicile, des outils informatiques et de télécommunication.

[Théorie du chaos]
Théorie qui s'intéresse aux phénomènes « non linéaires », dans lesquels une modification infinitésimale de l'état initial change radicalement l'état final. La mise en équation de tels phénomènes est évidemment très problématique.

[Thermique (centrale)]
voir Centrale thermique

[Thermique (solaire)]
voir Solaire thermique

[Ultraviolet]
Se dit du rayonnement électromagnétique visble à l'œil humain.

[Vecteur]
Se dit d'un organisme qui transmet un agent infectieux. La plupart sont invertébrés (puce, moustique, tique), mais on peut aussi rencontrer parmi eux des rongeurs et certains oiseaux.

Bibliographie

Livres

Chauveau (Loïc)
Petit Atlas des risques écologiques, collection *Petite Encyclopédie Larousse,* Larousse, Paris, 2005

Chemery (Laure)
Petit Atlas des climats, collection *Petite Encyclopédie Larousse*, Larousse, Paris, 2003

Diamond (Jared)
Effondrement. Comment les sociétés décident de leur disparition ou de leur survie, Gallimard, Paris, 2006

Hauglustaine (Didier), Jouzel (Jean) et Le Treut (Hervé)
Climat: chronique d'un bouleversement annoncé, collection *Le Collège de la cité,* Le Pommier, Paris, Cité des sciences et de l'industrie, Paris, 2004

Jancovici (Jean-Marc), Grandjean (Alain)
Le plein s'il vous plaît !, Seuil, Paris, 2007

Jancovici (Jean-Marc)
L'avenir climatique, quel temps ferons-nous ?, collection *Points sciences,* Le Seuil, Paris, 2004

Jouzel (Jean) et Debroise (Anne)
Le Climat, jeu dangereux: dernières nouvelles de la planète, Dunod, Paris, 2007

Kandel (Robert)
Le Réchauffement climatique, collection *Que sais-je ?,* PUF, Paris, 2004

Kempf (Hervé)
Comment les riches détruisent la planète, Seuil, Paris, 2007

Le Treut (Hervé) et **Jancovici (Jean-Marc)**
L'effet de serre: allons-nous changer le climat ?, collection *Champs,* Flammarion, Paris, 2004

Lévêque (Christian), Sciama (Yves)
Développement durable : nouveau bilan, Dunod, Paris, 2008

Sciama (Yves)
Petit Atlas des espèces menacées, collection *Petite Encyclopédie Larousse,* Larousse, Paris, 2005

Revues

Climat, le dossier vérité ; Science et Vie hors série n° 240, sept. 2007

Dossier « Les Trois inconnues du climat », *La Recherche*, décembre 2007

Adresses utiles

International

Convention cadre des Nations Unies sur le Changement Climatique
Haus Carstanjen,
Martin-Luther-King-Strasse 8,
53175 Bonn, Allemagne
www.unfcc.int
<http://www.unfcc.int> :
un site en partie francophone

Friends of the Earth (les Amis de la Terre)
26-28 Underwood Street,
London N1 7JQ,
Royaume-Uni
http://www.foe.co.uk/

Greenpeace International
Keizersgracht 176, 1016 DW
Amsterdam, Pays-Bas
supporter.services@ams.greenpeace.org
http://www.greenpeace.org/homepage/

www.iea.org : Agence Internationale de l'Énergie

IPCC (Intergovernmental Panel on Climate Change)
C/O World Meteorological Organization, 7bis avenue de la Paix, C.P. 2300,
CH- 1211 Genève 2, Suisse
www.ipcc.ch : le site du GIEC, où se trouvent tous les rapports et documents produits par cette institution

National Ocean and Atmosphere Administration
14 th Street & Constitution Avenue, Room 6217,
Washington, DC 20230,
États-Unis
www.noaa.gov
http://www.noaa.gov : site américain très riche en chiffres, tableaux, explications, etc.

OMS (Organisation mondiale de la Santé)
Avenue Appia 20, 1211
Genève 27, Suisse
www.who.org

Programme des Nations Unies pour l'Environnement (PNUE)
Bureau pour l'Europe, 11-13
chemin des Anémones,
CH – 1219 Genève, Suisse
www.unep.org

www.realclimate.org : un site animé par une équipe internationale de climatologues de renom. À visiter absolument.

http://www.stabilisation2005.com/outcomes.html : une série d'articles et de présentations qui fait le point sur les grands problèmes en discussion

World Ressources Institute
10 G street, NE (Suite 800),
Washington DC 20002,
États-Unis
www.wri.org

WWF International
Avenue du Mont-Blanc, 1196
Gland, Suisse
http://www.panda.org

Belgique

Direction générale de l'environnement
Place Victor-Horta 40, boite 10,
1060 Bruxelles
www.environment.fgov.be
environment@health.fgov.be

Canada

Environnement Canada
70, rue Crémazie, Gatineau
(Québec), K1A 0H3
www.ec.gc.ca
<http://www.ec.gc.ca> :
ministère de l'environnement canadien

France

ADEME
2 square La Fayette, BP 90406,
49004 Angers CEDEX 01
www.ademe.fr

http://www.cnrs.fr/cw/dossiers/dosclim : Le dossier du CNRS sur le climat, très complet.

Institut Français de l'Environnement
61, boulevard Alexandre Martin
45058 Orléans CEDEX 1
Tél. : 02 38 79 78 78
Fax : 02 38 79 78 70
Courriel : ifen@ifen.fr
www.ifen.fr
<http://www.ifen.fr>

www.manicore.com
Le site de Jean-Marc Jancovici, un des meilleurs et des plus pédagogiques en langue française.

Ministère de l'Écologie et du Développement durable
20 avenue de Ségur,
75302 Paris 07
ministere@ecologie.gouv.fr
www.ecologie.gouv.fr
<http://www.ecologie.gouv.fr>

Suisse

OFEFP – Office fédéral de l'environnement, des forêts et du paysage
3003 Berne
info@buwal.admin.ch :
ministère de l'environnement suisse

Index

Crédits des illustrations

Photographies

Couverture 1er plat © Christopher J. Morris/CORBIS – © Cosmos (vignette) ; 1 Charles O'Rear/CORBIS ; 4-5 © NASA/GSFC/S.P.L./COSMOS ; 6 © Éric Herchaft/Reporters/REA ; 8-9 © NASA/S.P.L./COSMOS ; 10 © S.P.L./COSMOS ; 13 © Dino Fracchia/REA ; 14 © Roger Ressmeyer/CORBIS ; 16 © James L. Amos/CORBIS ; 17 © Hervé Diard/Reporters/REA ; 18 © European Space agency/S.P.L./COSMOS ; 20-21 © Christopher J. Morris/CORBIS ; 23 © REA ; 26 © W. Perry Conway/CORBIS ; 27 © COSMOS ; 29 © Simon Fraser/S.P.L./COSMOS ; 31 © Thierry Orban/CORBIS/SYGMA ; 32-33 © Lester Lefkowitz/CORBIS ; 34 © Ashley Cooper/Picimpact/CORBIS ; 36 © Greg Smith/REA ; 37 © Joerg Glaescher/LAIF/REA ; 39 © NASA/GSFC/S.P.L./COSMOS ; 41 © Matthieu Paley/CORBIS ; 43 © TCD/BOUTEILLER ; 45 © CSIRO/S.P.L./COSMOS ; 46-47 © Dieter Telemans/COSMOS ; 49 © Raffaele Celentano/LAIF/REA ; 51 © Christian Dumont/REA ; 52 © Ian Hanning/REA ; 54 © Karen Kasmauski/CORBIS ; 57 © CORBIS ; 58 © Bill Stormont/CORBIS ; 59 © Christian Weiss/REA ; 61 © Vonce Streano/CORBIS ; 62 © Original image courtesy of NASA/CORBIS ; 64 © Najlah Feanny/REA ; 65 © America Mariano/REA ; 66-87 © Gilles Leimdorfer/REA ; 68 © Robert Semeniuk/CORBIS ; 70 © Derek Trask/CORBIS ; 72 © Ed Kashi/CORBIS ; 73 © Anthony John West/CORBIS ; 75 © W. Wayne Lockwood, M.D./ CORBIS ; 76 © Gideon Mendel/CORBIS ; 77 © Benoit Decout/REA ; 79 © Marta Nascimento/REA ; 80 © Patrick LANDMANN/CORBIS/Sygma ; 83 © Frédéric Pitchal/CORBIS ; 85 © Jean-Peter Boening/LAIF/REA ; 86 © Roshanak/CORBIS/SYGMA ; 88-89 © Paul Langrock/ZENIT/LAIF/REA ; 90 © John Van Hasselt/CORBIS/SYGMA ; 93 © Mario Fourmy/REA ; 95 © Ramin Talaie/CORBIS ; 97 © Pascal Meunier/COSMOS ; 98 © Jean Claude Moschetti/REA ; 99 © Paul Langrock/LAIF/REA ; 101 © Joerg Glaescher/LAIF/REA ; 103 © Mark L. Stephenson/CORBIS ; 105 © Didier Maillac/REA ; 107 © Ralf Finn Hestoft/REA ; 108 © COSMOS ; 111 © Pascal Sittler/REA ; 113 © Thierry Orban/CORBIS ; 114 © Gallo Images/CORBIS.

Dessins et infographies

Vincent Landrin, Denis Horváth

N° projet : 11006955
Impression I.M.E. – 25110 Baume-les-Dames
Imprimé en France – 302001-02 avril 2008